'I godi'r hen wlad yn ei hôl'

Blas ar y sgrifennu gorau yn y Gymraeg

Y gyfres hyd yn hyn:

1. WALDO - *Un funud fach*
2. Y MABINOGION - *Hud yr hen chwedlau Celtaidd*
3. GWYN THOMAS - *Pasio heibio*
4. PARSEL NADOLIG - *Dewis o bytiau difyr*
5. DANIEL OWEN - *'Nid i'r doeth a'r deallus . . .'*
6. EIGRA LEWIS ROBERTS - *Rhoi'r byd yn ei le*
7. DIC JONES - *Awr miwsig ar y meysydd*
8. GWLAD! GWLAD! - *Pytiau difyr am Gymru*
9. CYNAN - *'Adlais o'r hen wrthryfel'*
10. ISLWYN FFOWC ELIS - *'Lleoedd fel Lleifior'*
11. KATE ROBERTS - *Straeon y Lôn Wen*
12. DEG MARC! - *Pigion Ymrysonau'r Babell Lên 1979-1998*
13. T.H. PARRY-WILLIAMS - *'Hanner yn hanner'*
14. LIMRIGAU - *'Ro'dd cadno yn ardal y Bala . . .'*
15. T. GWYNN JONES - *'Breuddwydion beirdd'*
16. O.M. EDWARDS - *'I godi'r hen wlad yn ei hôl'*

Y teitlau nesaf:

17. SAUNDERS LEWIS
18. D.J. WILLIAMS
19. R. WILLIAMS PARRY
20. GEIRIAU'N CHWERTHIN

Golygydd y gyfres: Tegwyn Jones

dingon 2000

2o/-
Cive
5

O.M. EDWARDS

'I godi'r hen wlad yn ei hôl'

Golygydd y gyfres:
Tegwyn Jones

GWASG Carreg Gwalch

Argraffiad cyntaf: Tachwedd 1999

Ⓟ   *Pigion 2000: Gwasg Carreg Gwalch*
Ⓟ   *testun: Hughes a'i Fab*

Rhif Llyfr Safonol Rhyngwladol:
0-86381-515-4

Cyhoeddir o dan gynllun comisiwn Cyngor Llyfrau Cymru.
Cynllun y clawr: Adran Ddylunio'r Cyngor Llyfrau.

Argraffwyd a chyhoeddwyd gan Wasg Carreg Gwalch,
12 Iard yr Orsaf, Llanrwst, Dyffryn Conwy.
Ffôn: 01492 642031
Ffacs: 01492 641502
e-bost: llyfrau@carreg-gwalch.co.uk
lle ar y we: www.carreg-gwalch.co.uk

Codwyd y dyfyniadau, oni nodir yn wahanol, o'r argraffiadau diwygiedig o weithiau O.M. Edwards a olygwyd gan yr Athro Thomas Jones yn 1958. Diolch i Hughes a'i Fab am eu cydweithrediad wrth gynhyrchu'r gyfrol hon ac am eu caniatâd caredig i gynnwys deunydd a gyhoeddwyd ganddynt.

Cynnwys

Cyflwyniad

Yn Eisteddfod Genedlaethol Castell-nedd, 1918, ac O.M. Edwards yn llywydd ar ran o'r dydd, ni welodd yr arweinydd ar y pryd, Pennar Griffiths, fod angen gwastraffu amser ar y cyflwyniad traddodiadol. Yn lle hynny, meddai J.H. Jones, golygydd *Y Brython*, gwnaeth 'beth brafiach lawer . . . sef gweiddi ar ucha'i lais clochaidd, "Dyma fo i chwi – Gwaredwr mawr y Gymraeg!" ' Prin yr haeddodd neb yn ei gyfnod, nac mewn llawer cyfnod arall, y disgrifiad hwnnw'n fwy. Ganed Owen Morgan Edwards yng Nghoed-y-pry, Llanuwchllyn, ar Ŵyl San Steffan 1858. Ardal ag iddi draddodiad llenyddol a Chalfinaidd oedd ei ardal enedigol, ac yr oedd i'r cefndir hwnnw le canolog ar aelwyd ei rieni. Y mae hanes ei addysg gynnar yn ysgol Seisnig y Llan, nad oedd ganddo ddewis ond ei mynychu, a'i dad yn denant i Syr Watkin Williams Wynn, yn stori rhy gyfarwydd i'w hailadrodd yma (gweler ei ddisgrifiad o'i ddiwrnod cyntaf yno a'i gyflwyniad i'r Welsh Not yn y gyfrol *Gwlad! Gwlad!* tt. 42-42 yn y gyfres hon), ond bu'r profiad hwnnw a seriwyd ar ei feddwl ieuanc yn ei ddilyn weddill ei oes. Addysgwyd ef yn ddiweddarach yng Ngholeg y Bala, Coleg Aberystwyth, Prifysgol Glasgow a Choleg Balliol, Rhydychen. Treuliodd flwyddyn ar y Cyfandir yn niwedd yr 80au, ac yna dychwelyd i Rydychen lle etholwyd ef yn gymrawd o Goleg Lincoln ac yn diwtor hanes hynod o boblogaidd a dylanwadol. Yn 1907 penodwyd ef yn Brif Arolygydd Ysgolion Cymru – y cyntaf i ddal y swydd bwysig honno. Gyda golwg ar ei ddylanwad da, sonia ei fab, Ifan ab Owen Edwards (*Llafar* Haf 1956) am ei gyfnod yntau yn Rhydychen, pan gafodd ymweliad annisgwyl un diwrnod gan un o gyd-weithwyr agosaf Mahatma Gandhi. Bu'r ymwelydd unwaith yn mynychu dosbarthiadau tiwtorial O.M. Edwards, meddai, a'r hyn a glywodd yno am Owain Glyndŵr a agorodd ei lygaid i genedlaetholdeb ei wlad ei hun ac 'i gysegru fy mywyd i'w gwasanaethu'. Ond y dylanwad mawr ar O.M. ei hun pan aeth i Rydychen gyntaf oedd Cymdeithas Dafydd ap Gwilym, lle câi gwmni cewri megis John Rhŷs, John Morris-Jones, Edward Anwyl a John Puleston Jones yn rheolaidd. Yr oedd diwygio orgraff yr iaith Gymraeg yn un o'u prif ddiddordebau, a mawrygent weithiau y clasurwyr rhyddiaith Gymraeg, gan geisio dilyn eu hesiampl wrth ysgrifennu rhyddiaith eu hunain. Ni lwyddodd neb yn fwy yn hynny o beth nag O.M. Edwards. Yn ei lyfrau a'i ysgrifau – ac yr oeddynt yn lleng – cyflwynodd i ddarllenwyr cyffredin, mewn iaith naturiol a dealladwy – gyfoeth traddodiadau a llên eu gwlad eu hunain, a'u dysgu hefyd, trwy gyfrwng eu hiaith eu hunain am hanes a thraddodiadau gwledydd eraill. Rhan fechan iawn o'i gynnyrch a welir yn y gyfrol hon, ond gobeithir ei fod yn gynrychioliadol, ac y bydd yn rhoi boddhad i genhedlaeth newydd o ddarllenwyr Cymraeg.

Bedydd Ceffyl

Crwydrais lawer, pan ddylaswn fod yn yr ysgol, ar hyd yr ardal. Yr wyf yn cofio llawer peth rhyfedd a welais ac a glywais, yn yr oriau crwydr hyn, ymysg gweision ffermwyr. Un tro, dois i ystabl ffermdy heb fod ymhell o'r ysgol ar adeg seremoni ryfedd. Yr oedd y gwas, gŵr cadarn cydnerth, yn bedyddio'r ceffylau trwy wneud llun y Groes ar eu talcennau. Gorfod imi fod yn ddistaw iawn tra bu'r seremoni'n mynd ymlaen. Yna gofynnodd imi a welais fedyddio ceffylau o'r blaen. Dywedais na wyddwn i fod neb ond plant yn cael eu bedyddio. Dywedodd yntau mai ceffylau drwg iawn fydd ceffylau heb eu bedyddio. Gyda hynny daeth plentyn bach tlws o rywle ar ei rawd tua'r ystabl. 'Weli di glust hon?' meddai, gan ddangos clust greithiog dan gudynnau gwallt. 'Ceffyl heb ei fedyddio gydiodd ynddi, wel di, â'i ddannedd, ac mi dorrodd ddarn o'i chlust. Os doi di byth yn wagnar, cofia di fedyddio dy geffylau, neu mi drôn' y drol, neu mi dorran' ddarn o dy glust ti.' Yr oedd y gwas hwnnw'n credu mewn bedyddio ceffylau, ond nid wyf yn sicr a oedd yn teimlo fod rhyw lawer o rin yn y bedydd a gafodd ei hun. A llawer chwedl ofergoelus a glywais – cefais gipdrem i fywyd na wyddwn ddim amdano o'r blaen.

Hen Bregethwyr

'Wyt ti'n cofio rhai o'r hen bregethwyr?'

'Ydw, 'n dyn i. Mi fydda'n clywed y cloc yn tician yn fy nghwsg, ac mi fydd i sŵn o'n dŵad â'r hen bregethwyr yn dyrfa o 'mlaen. Neithiwr ola'n y byd mi freuddwydiais mod i'n gweld Tomos Richards, Abergwaun yn dŵad at Benygeulan oddi wrth Dyn-y-pwll, yn edrych yn well a harddach nag erioed. Diar mi, llawer peth rhyfedd weles i dan weinidogaeth Tomos Richards, Abergwaun. Roedd genno fo lais fel utgorn. Mi glywes yr hen Stifin yn deud i bod nhw'n lladd mawn unwaith yn y Gors Lwyd, a'u bod nhw'n clywed i lais o'n pregethu yn hen gapel y Pandy. Rydw i'n cofio'r bregeth honno, dene'r testun, – "Y neb y syrthio y maen hwn arno." Roedd hi'n ganol yr odfa pan es i yno, – nos ffair llan'r ha oedd hi. Yr oedd y capel yn ferw trwyddo, a gorfoleddu mawr, a'r bobol yn neidio fel ceiliogod wedi torri'u penne, a'r hen Abergwaun yn i cateceisio nhw, – "Bobol, shwd fu hi yn y ffair heddi?" O'r diwedd aeth y bobol i weiddi gormod, ac ebe'r pregethwr, – "Bobol, mae hi'n rhy boeth i fewn, ni drown i fas." Mi agorodd rhywun y ffenest, a dacw ynte'n pregethu i'r bobl oedd allan, a'r gorfoleddwrs yn gorfoleddu y tu mewn.'

'Fu Ebenezer Richards yn cysgu yn sŵn yr hen gloc?'

'Do, lawer gwaith. Y fo bedyddiodd fi. Mi fydde'n dŵad bob amser o flaen Sasiwn y Bala. Dene'r un â'r olwg fwya bonheddig ohonyn nhw i gyd. Rydw i'n i gofio fo'n rhyfedd iawn ar ddyletswydd un bore. Yr oedd Ifan Rhys hefo fo, y canwr mwyna glywes i erioed. Y bore hwnnw roedd Ifan Rhys yn ledio'r canu ar ddyletswydd, a Marged a Chatrin a ninne'n canu hefo fo, –

"Bydd pawb o'r brodyr yno'n un,
Heb neb yn tynnu'n groes."

Roedd yr hen Stifin tu hwnt i'r bwrdd, a fu ond y dim iddo fo dowlu 'i glocs, a gorfoleddu ar ganol y llawr.'

'Fuo Thomas John ym Mhenygeulan?'

'Diar, do, droeon. Un hyll iawn oedd Tomos John – dyn tal, esgyrnog, hirdrwyn, hirglust, aelie trymion, a wyneb wedi rhychu gen y frech wen. Ond yn y pulpud roedd o'n mynd yn hardd dan ych llygied chwi. Mi fydde Tomos Llwyd yn deud mai angel oedd o, ac nid dyn. Roedd geno fo ddarn yn i bregeth am gloc. "Beth ydi uffern, bobol," medde fo, "ond cloc â'i fysedd wedi sefyll ar hanner-nos, ac yn tician Byth! Byth!" Mi fu llawer pregethwr nerthol arall yng nghwmni'r hen gloc yma. Mi welwyd Dafydd Morus a Robert Roberts, Caernarfon, y ddau ysgydwodd Gymru wedi dyddie Harris, yn cyfarfod yn ei ŵydd. Rydw i'n cofio John Jones, Blaenannerch yn dŵad i'r

Gogledd am y tro cynta. Y swper mawr oedd i destun o, gŵr y tŷ wedi digio, ac y mae i lais mwyn, treiddgar o'n gweiddi "Stepiwch i Galfaria" yn fy nghlustie o hyd. Rydw i'n cofio William Morris, Cilgerran lawer tro. Pwt o ddyn sionc, penfelyn oedd a wyneb crwn glân. Roedd i lais o'n fwyn a melys, ond yn codi at ddiwedd y bregeth, ac yn dychrynu'r caleta a'r mwya didaro. Mi wnaeth o i wawdwyr ddŵad i'r seiat; a beirdd hefyd.' . . .

* * *

Clos pen-glin oedd gennyn nhw i gyd, a sane bach naw botwm; ac yr oedd gen rai esgidie topie melynion. Mi fydde Cadwaladr Owen yn grand iawn, mewn clos pen-glin o frethyn melyn, a sane bach o'r un lliw. Ond clos du fydde gen Ebenezer Rowlands, a sane duon. Roedd llawer iawn o'r hen bregethwyr yn dda allan, neu fedrasen nhw ddim fforddio dillad mor gostus. Rydw i'n cofio cyfaill John Llwyd, Abergele'n cwyno i fod wedi rhoi deg swllt ar hugain am i esgidie topie cochion. Ac medde John Llwyd wrtho, – 'Diolchwch nad ydech chi ddim yn neidar gantroed.'

* * *

'Ffasiwn un oedd Enoc Ifan?'

15

'Pwt o ddyn byr, du du, yn dŵad i'w gyhoeddiad yn hwyr bob amser, wedi bod yn chwilio'r gwrychoedd am nythod adar bach.'

'Oedd Enoc Ifan yn bregethwr da?'

'Roedd o'n ddarllenwr da iawn, ond doedd o fawr o bregethwr. Rydw i'n cofio disgwyl mawr am John Jones Tal-y-sarn ryw fore Sul o Fowddu; roedd Siôn Ifan wedi mynd i ben Bwlch y Groes i'w gyfarfod o. O'r diwedd mi ddoth at y capel, ac yr oedd Enoc Ifan i ddechre'r odfa o'i flaen o, yn fyr, fyr. Mi gymerodd Enoc Ifan i amser i ddechre, ac wedyn, yn lle mynd i lawr o'r pulpud, gael i John Jones godi, mi gododd i lygied ar y bobol, ac ebe fo, – "Mi wela fwy ohonoch chwi nag a fydd yn dŵad i ngwrando i, rydw i'n meddwl y pregetha i dipyn bach ichwi." Ac mi bregethodd am hir.'

Cymeriadau'r Seiat

Nid rhyw eang iawn oedd eu gwybodaeth, na manwl. Adroddir am un hen wraig yn mynd i ben y Bryn Derw, yn y dyddiau hynny, ac yn codi ei dwylo mewn syndod wrth weled Llanuwchllyn a'r mynyddoedd, ac yn dweud, – 'Arglwydd annwyl, mae dy fyd Di'n fawr!' Gweddïai hen frawd syml am i'r holl fyd gael ei achub, 'o Gaergybi i Gaerdydd.' A dywedir am hen bererin sydd newydd huno ei fod wedi gweddïo dros bentref bychan, bychan, – 'O Arglwydd, achub heno filoedd yn y pentre hwn.'

Nid rhai wedi colli golwg ar eu gwaith yn y byd hwn oedd pobl y seiat, – nid oedd eu gonestach yn y plwyf, na gweithwyr caletach. Yr oeddynt yn barod i ddioddef o achos cydwybod pan fyddai eisiau, ond ni ruthrent i wyneb treialon er hynny. Ambell adeg dangosent ddoethineb a gochelgarwch mawr. Un tro gwelwyd y gochelgarwch hwn yn ymylu ar y digrifol. Yr oedd cyfarfod gweddi mewn tŷ annedd o'r enw Pig-y-swch, ac yr oedd un brawd, mewn gweddi hwyliog, wedi gyrru ar y Diafol heb fesur. Ar ei ôl, galwyd ar grydd bychan, bywiog o'r enw Niclas Wmffre. Ac ebe hwnnw, –

'O, Arglwydd mawr, dyro ddoethineb i ni, trwy dy ras. Gwna ni'n ochelgar beth a ddywedom.

A gwared ni rhag ymosod gormod ar y gelyn ddyn, rhag ofn iddo fo'n cael ni eto, a deud, wrth ein fflangellu ni, – "Ydech chi'n cofio, lads, fel yr oeddech chwi'n gyrru arna i ym Mhig-y-swch?".'

Fy nhad

Ddoe, wrth grwydro hyd lwybrau fy mebyd, dois bron heb yn wybod imi at hen fwthyn fy nhad. Na, nid yw'r hen fwthyn yno, – er bod y pistyll mor loyw ag erioed, a'r masarn a'r derw cawraidd eto'n cysgodi'r lle. Y mae'r mynydd mawr a welwn o ffenestr fy ystafell wely, yr un hefyd, gyda'i fil o ddefaid mân; a thybiwn glywed, yn nwndwr yr afon islaw, leisiau mwyn sydd wedi tewi ers llawer blwyddyn faith.

Daeth noson marw fy nhad i'm cof fel pe buasai neithiwr. Torrodd y noson honno fy nghysylltiad i â Llanymynydd; ac nis gwn beth sydd wedi fy nhynnu i'r hen fro yn ôl. Cofiwn am y noson ystormus yn y gwanwyn, pan ochneidiai'r gwynt wrth guro ei adenydd nerthol yn erbyn bronnau'r mynyddoedd a phan oedd pob afon a nant yn llawn o ddwfr ffrochwyllt at ei hymylon. Y noson honno, mewn tangnefedd na fedd y nefoedd ei dynerach, y ffarweliais â'm tad.

Nid oedd fy nhad yn ŵr blaenllaw gyda dim. Nid un o feibion yr argyhoeddiadau cryfion oedd ef, ac nid yswyd ei fywyd gan uchelgais y byd hwn. Pe dywedwn ei fod yn hoffach o'r seiat nag o gyfarfod cyfeillion difyr, pe dywedwn ei fod yn hoffach o weddïo ar Dduw nag o ganu mawl pob peth tlws a wnaeth, – pe dywedwn y pethau hyn, dywedwn fwy na'r gwir. Ond yr oedd yn hapus iawn, yn ei fyw ac yn ei farw. Ymhyfrydai yn nhlysni creadigaeth Duw. Rhodiai'r caeau gyda'r gwanwyn, a dygai flodeuyn cyntaf ei ryw i ni – llygad y dydd, clust yr arth, dôr y fagl, cynffon y gath, blodau'r taranau, y goesgoch, hosan Siwsan, clychau'r gog, anemoni'r coed, blodyn cof – a phob blodyn a dyfai hyd lechweddau a gweirgloddiau ein cartref mynyddig. Gwelai ffurfiau prydferth a lliwiau gogoneddus yn y cymylau, a llawer noson haf ein plentyndod a dreuliasom gydag ef i weled y rhyfeddodau hynny. Byddai wrth ei fodd o flaen tân coed ar hirnos gaeaf, gwelai'r gwreichion yn ymffurfio'n bob llun, a dangosai ryfeddodau i ni yn y rhai hynny. A holl lu y nefoedd ar noson rewllyd – hyfrydwch Pleiades a rhwymau Orïon, Mazzaroth, ac Arcturus, a'i feibion – ymgollai mewn mwynhad pan gymerai fi ar ei fraich, yn blentyn pedair oed, i ddangos imi amrywiaeth diderfyn yr ehangder mawr.

Treuliai lawer o'r haf i'm dysgu, yn ei ffordd ei hun. Cymerai fi i'r mynydd ar brynhawn heulog cyn imi fedru dechrau cerdded, a dysgai fi i wneud cyfeillion o'r llygad y dydd ac o'r fantell Fair o'm cwmpas. Pan ddechreuais gerdded, âi â mi i ben y mynyddoedd, a dangosai gyrrau ardaloedd eraill i mi, gan ddweud beth oedd yn tyfu yno a phwy oedd yn byw yno, a pha rai enwog, yn enwedig pregethwyr, a fagesid yno. Cadwodd ireidd-dra ei blentyndod drwy ei fywyd, yr oedd pob peth yn llawn rhyfeddod iddo.

Yr oedd yn hoff o bob peth byw. Yr oedd ganddo gân, ac enwau yr holl adar wedi eu gwau ynddi. Gwyliai'r defaid a'r cŵn a'r gwartheg fel pe baent yn meddu enaid a meddwl, a gwelai rywbeth trawiadol yn eu bywyd o hyd.

Ni chlywais ef erioed yn amau amcan neb, nac yn dweud gair angharedig am neb yn y byd. Digiai wrth un am enllibio neu ddweud geiriau di-chwaeth, ond ni ddywedodd air erioed i friwio teimlad neb. Ni chlywais air drwg na di-chwaeth o'i enau. Gallwn ddweud amdano ar lan ei fedd, fel y dywedai Ap Vychan am ei fam, – 'Dyma un na chlywodd ei blant erioed air drwg oddi ar ei wefusau.'

Hwyrach y meddyli yn dy ddiniweidrwydd, ddarllenydd mwyn, mai rhyw angylion bach o blant oedd fy mrodyr a minnau, ac mai hawdd i'm tad oedd cadw ei dymer wrth ein magu. Ond, os tybi hyn, syrthi i gamgymeriad. Yr wyf yn cofio fod fy nhad unwaith wedi ei wahodd i briodas, ac wedi prynu het befar uchel loyw ar gyfer y dydd. Y noson cyn y briodas medrodd fy mrawd a minnau gael gafael yn yr het newydd, ac aethom â hi allan i'r caeau i wneud arbrofion arni. Eisteddasom gefngefn ar ei phen, a'n traed ar ei chantel. Codasom ein traed ein dau ar unwaith, a gollyngodd yr het danom. Yr oedd fel consertina. A chyn ei dychwelyd i'w chas, yr oedd dau borchell bach – un du ac un gwyn – wedi bod yn trwsio tipyn ar ei chantel yn ôl eu mympwy eu hunain. Ond, wedi eiliad o gythrwfl meddwl, cafodd fy nhad gymaint o fwynhad â ninnau a'r ddau fochyn bach. Dro arall, pan oedd wedi lledu ei lein bysgota ar y llawr, ac wedi ei dad-ddrysu'n llwyddiannus iawn, gollyngasom ddwy gath ddu i redeg trwy droeon y lein. Ni ddywedodd 'nhad ddim ond mai dyna'r ddau blentyn rhyfeddaf a welodd efe erioed, a'r ddwy gath ddu waethaf.

Hunodd ar fin ei bedwar ugain oed, yr olaf o deulu hoff o grefydd a mwynder a chân. Ei alawon di-rif, ei ystorïau diddan, ei ddywediadau pert, – y mae'r rhai hyn yn fy nghof; ond er chwilio'r pedwar ugain mlynedd yn fanwl, ni fedraf weled un gair celwyddog nac un gair amheus.

Rhobert Wiliam yng ngwylnos Siani Siôn

Lle mae ffordd Bwlch y Groes yn croesi'r Afon
Fechan, yng ngolwg y Lledwyn a'r Aran, safai
unwaith hen dŷ to brwyn. Yr oedd ei furiau'n isel,
a bargod ei do llaes yn taflu allan ymhell drostynt.
Ar ei grib hir yr oedd tywyrch trum, ac ambell
flodyn dafad-a'r-oen yn tyfu ohonynt. Ar bant dan
y ffordd y safai'r tŷ, ac yr oedd ei gorn simnai
gwellt crwn yn demtasiwn nid bychan i bob
plentyn oedd â'i fraich yn ddigon cref i daflu
carreg cyn belled. Hen wraig ar y plwyf o'r enw
Siani Siôn oedd yn byw yn y bwthyn. Yr wyf yn
cofio mynd yn llaw fy mam i wylnos Siani Siôn.
Gwelais yr arch, y gyntaf a welais erioed, drwy gil
drws y siambr. Yr oedd golwg brudd ar y dynion,
ac yr oedd y merched yn ochneidio i gyd.
Teimladau cymysg oedd fy rhai i, – cywreinwydd
pwy a gâi'r teganau oedd ar dreser Siani Siôn os na
ddôi'n ôl o siwrnai'r arch, a rhywbeth tebyg i
bigiadau cydwybod, o achos yr hen simnai honno.
Clywais gnoc ysgafn ar y drws, agorwyd ef, a
daeth Rhobet Wiliam i mewn. Yr oeddwn wedi ei
weld lawer tro cyn hynny er yr adeg y bedyddiodd
fi ac wedi dweud llawer adnod na ddeallwn ei
hystyr iddo, ond y cof eglur cyntaf sydd gennyf
amdano ydyw ei weled yn dod i mewn i wylnos
Siani Siôn. Nid wyf yn cofio pa un ai wrth oleuni

aneglur y ffenestr fechan, ai wrth oleuni gwannaidd cannwyll wen y gwelem ef. Ond gwn, pan ddaeth i mewn, na welwn nac arch na phobl na theganau na simnai fawr, – neb ond efe. Yr oedd yr olwg arno'n urddasol iawn. Yr oedd yn dal, y dyn talaf, feddyliwn, a welais erioed. Yr oedd yn gwargrymu ychydig, pa un ai oherwydd henaint ai oherwydd ister tŷ Siani Siôn, nis gwyddwn. Yr oedd ei ddillad yn dduon, ac yr oedd yr ychydig wyn oedd yn ei wallt hir yn gwneud i'r gweddill edrych yn llawer duach. Ond ei wyneb oedd wedi mynd â'm holl fryd i. Trwyn cam Rhufeinig, – yr oedd mawredd yn yr wyneb; llygaid duon dan aeliau trwchus, – yr oedd yno harddwch hefyd; bochau teneuon, – yr oedd golwg ddieithr ysbrydol arno. Yr oedd pob llygad arno, a phawb yn ddifri. Daliwn innau ar bob gair, – yr oedd gennyf ryw led-feddwl ei fod yn mynd i ddweud beth oedd yr arch, ac i ba le yr aethai Siani Siôn. Darllenodd o Feibl mawr, mewn llais wylofus, ond llais yn meddu llawer o gadernid ynddo. Yna bu canu; treiais innau ganu alto, ond yr oeddwn yn tagu wrth dreio, o achos cof am y garreg oeddwn wedi geisio ei thaflu i'r simnai. Pregethodd, ni ddeellais y testun, na llawer o'r bregeth. Ond deellais fod byd heblaw hwn, a bod Siani Siôn wedi mynd yno, byd rhyfedd, byd lle daw pob cam i'r golwg, – megis taflu cerrig i gyrn simneiau hen wragedd. Tywynnodd gwybodaeth am dragwyddoldeb ar fy nghydwybod i y noson honno. Yr oeddwn yn methu dirnad sut yr oedd bywyd yn llwybr tua'r bedd, a Siani Siôn bob amser yn ei hunfan. Ond teimlwn oddi wrth wedd ddifrifol yr hen bregethwr, a'r ochneidiau, fod rhyw bwys rhyfeddol ar fynd o'r byd hwn i'r byd arall. Yr oedd wedi dweud pennill ar ei bregeth, a dysgodd fy nhad y pennill hwnnw i mi, –

'Wrth weled mor fyrredd yw'm dydd,
    Ac angau mor siwred o'm cwrdd,
Manylrwydd y frawdle a fydd,
    A minnau tuag yno'n mynd ffwrdd;
A'm cartref tragwyddol mor faith,
    Diddiwedd, dialtro byth yw,
Pwy feiddiai wynebu'r fath daith
    Heb gael ei gymodi â Duw?'

Byth ar ôl y noson honno, cysylltid Rhobet Wiliam yn fy meddwl i â'r tragwyddoldeb dieithr y bûm yn ceisio tremio iddo yng ngwylnos Siani Siôn.

Yr Hen Gapel

Addefaf nad wyf fi'n feirniad diduedd. Y mae'r argraffiadau a roddir ar enaid plentyn yn annileadwy; yr wyf fi'n gorfod teimlo hynny'n fwy o hyd. Er na fedraf ganu, y mae sŵn y tonau a'r alawon Cymreig yn rhan o'm henaid; er fy ngwaethaf yr wyf yn fy nghael fy hun yn beirniadu pob canu arall yn ôl fel y bo'n debyg neu'n annhebyg iddynt. Ni welaist ti mo hen gapel Llanuwchllyn, ar lan dwfr tawel, a'i do heb fod yn uwch na thai'r pentrefwyr o'i amgylch. Moelion oedd ei furiau, ond fod ambell ysmotyn llaith yn rhoi tipyn o amrywiaeth i'w liw; yr oedd ei feinciau weithiau'n esmwyth, weithiau'n galed, yn ôl fel y byddai'r bregeth; hirgul oedd ei ffenestri a heb addurn, ond pan ddôi'r barrug i dynnu darluniau arnynt. Ac eto, dyna'r lle prydferthaf y bûm i ynddo erioed. Ynddo y dechreuais feddwl, ynddo y syrthiais mewn cariad am y tro cyntaf, ynddo y teimlais ofn colledigaeth a swyn maddeuant, ynddo y cynhyrfwyd fi gyntaf gan uchelgais ac yr iselwyd fy malchder wrth glywed nad oedd ynof haeddiant, – mae pob teimlad a meddwl dyfnach na'i gilydd, dynol ac ysbrydol, yn cyfeirio'n ôl at yr hen gapel llwyd. Nid oedd yno dlysni adeiladaeth na darluniau, ond drwy'r ffenestr oedd ar gyfer ein sêt gallaswn weled y gwynt yn gyrru'r glaw ar hyd ochrau'r mynyddoedd, ac yr oedd yno goeden griafol yn ymwyro gyda'r awel mewn dull nas gall yr un o'r 'celfyddydau breiniol', hyd yn oed pe buasai gennym ryw Fac Whirter o Gymro, ddarlunio prydferthwch ei changhennau. Y mae'r hen gapel a'r bobl oedd ynddo wedi newid llawer erbyn heddiw, ond pan ddaw meddyliau am y nefoedd i'm meddwl crwydrol i, hwyrach y gweni wrth imi ddweud mai fel hen gapel Llanuwchllyn yn union yr ymddengys i mi – y teuluoedd yn eu seti, pawb yn yr oed yr oeddynt, a'r pregethu a'r canu gorfoleddus, a sŵn lleddf y gwynt, a'r hen goeden griafol.

Benjamin Jowett

Ni thery Rhydychen yr ymwelydd fawr ar y dechrau – meysydd gwastad ac ystrydoedd newydd a welais gyntaf. Ond pan ddois i gynteddau Balliol – ei adeiladau hynafol, ei goed, a'i lennyrch o laswellt gwyrdd – buan y deellais fod gweled Rhydychen yn addysg. O'm ffenestr gwelwn y myfyrwyr yn darllen dan y coed, a'r brain yn fawr eu twrw uwch eu pennau. Eis allan ac fe'm cefais fy hun yn dadluddedu wrth deimlo glaswellt esmwyth dan droed ac wrth anadlu'r awel hafaidd gynnes. Pan ddois yn ôl cefais bapur ar fy mwrdd, ac arno mewn llaw fras anghelfydd, –

The Master presents his compliments to Mr Ab Owen, and wishes to have the honour of his company at breakfast tomorrow morning at 8.30.

Nid oedd y llaw yn debyg, feddyliwn, i law ysgolor Groeg enwog; ond yr oeddwn yn casglu llawysgrifau gwŷr mawr, a rhoddais hon yn fy Meibl, i'w rhoddi gyda'm trysorau eraill pan awn adre.

Daeth y bore, a chlywn sŵn clychau afrifed, yn lle distawrwydd dwys Sabothol fy nghartref mynyddig. Prysurais i chwilio am dŷ'r Master, ac fe'm cefais fy hun yn unig yn yr ystafell hwyaf a welswn erioed. Nid oedd y Master wedi dod o'r capel eto, meddai ei was, a theimlwn mor grefyddol y rhaid ei fod. Toc dechreuodd amryw fechgyn lithro i'r ystafell. Edrychent yn swil, ac yn anhapus iawn. Ceisiais dynnu sgwrs gyfeillgar â rhai ohonynt, ond ni chefais fawr o dderbyniad. Wedi cynnig ofer neu ddau, dechreuais ddyfalu pa fath ddyn fyddai Jowett pan ddeuai o'r capel, – tybed ai gŵr tal â barf hir a llais dwfn melodaidd, un a'n llanwai â brwdfrydedd am wybodaeth cyn inni orffen ein brecwast?

Dyma hen ŵr bach yn dod i mewn, a gwallt ariannaid, tenau; rhwbiai ei ddwylo yn anfoddog, a meddyliwn hwyrach iddo glywed pregeth sâl yn y capel. Parodd i ni eistedd i lawr, mewn tri gair; a dechreuasom frecwasta mewn distawrwydd llethol. Eisteddwn i wrth ben y bwrdd – nis gwn sut y deuthum yno – a buaswn yn dweud gair pe medraswn ddal llygad rhywun yn edrych arnaf. Ond edrychai pawb ar y bwrdd, fel pe mewn ofn. Toc cododd y Master ei ben, edrychodd arnom yn flinedig, a dywedodd mewn llais main, bach, –

'Foneddigion, buasai'n dda gen i pe bai un ohonoch yn mentro dweud rhywbeth.'

Yr oeddwn yn awyddus iawn am ddweud rhywbeth trawiadol. Ond, 'taswn ni'n crogi, fedrwn i feddwl am ddim. Aeth y distawrwydd yn ddistawach fyth, a thybiwn y byddai'n debycach i un o'r darluniau oedd ar y muriau ddweud rhywbeth nag i un ohonom ni. Wedi aros hir a phoenus, dyma'r llais main yn torri'r distawrwydd eto, –

'Foneddigion, nid yw yswildod yn bechod, ond y mae'n brofedigaeth fawr i'r neb a'i medd.'

Ni allwn oddef y distawrwydd yn hwy. Gwnes ymdrech i'w dorri, a meddwl anwylaidd a gafodd lais, bron heb imi wybod, –

'*Master*, onid ydych yn meddwl fod y Cymry yn genedl athrylithgar iawn?'

Edrychodd y bechgyn eraill arnaf gyda braw a chyda pheth diolchgarwch. Yna clywsant y llais main, didostur o'r pen arall i'r bwrdd, –

'Ydynt, ond y maent yn meddwl tipyn ohonynt eu hunain.'

Synnwn am ba Gymry yr oedd yn meddwl, a meddyliwn y gwnawn gynnig arall, llai hunanol ei wedd. Yr oedd Ymreolaeth yn unig bwnc y dydd hwnnw, a thybiais y gwellhawn dipyn ar wleidyddiaeth y Master, os oedd eisiau. Ac ebe fi, tra gwyliai'r lleill fi gyda chywreinrwydd rhai yn edrych ar ffosyl mewn amgueddfa, –

'*Master*, onid ydych yn tybio fod yn bryd i'r Gwyddelod gael yr hyn y maent yn ei ddymuno?'

'A fuoch chwi yn Iwerddon erioed?' ebe yntau.

'Naddo,' meddwn innau gan deimlo'n weddol sicr ei fod wedi darganfod na fûm erioed o Gymru o'r blaen.

'Y mae gennych reswm da, felly,' meddai, 'dros ofyn eich cwestiwn yn y dull yna.'

Ni'm teimlais fy hun erioed wedi fy llethu mor ddi-drugaredd; tôn ei lais oedd greulon, ac nid ei eiriau. Dechreuodd fy ngwefusau grynu, yr oedd lwmp mawr yn fy ngwddf, ac am fy llygaid, – wrth gwrs, yr oeddwn yn wirion iawn. Newidiodd dull Jowett mewn amrantiad. Collodd ei olwg ddidaro, ac yr oedd rhywbeth fel direidi llawen yn y llais bach pan ddywedodd, –

'Byddaf yn hoffi mynd i Gymru bob amser. Mae bardd neu ddau ymhob pentre bach yno, ac y mae hynny yn arwydd dda iawn am genedl. Yr oeddwn yng Nghymru y gwyliau diwethaf, a dywedai'r westywraig fod boneddiges newydd adael y gwesty ac wedi eu ceryddu am na siaradent Gymraeg. Lady Charlotte Guest oedd honno. Yr oedd un o'm cyfeillion gorau, Rowland Williams, yn Gymro. A Chymro yw Lord Aberdare. Hwyrach na fedrwn ni ddim cytuno am y Gwyddelod, ond rhaid i chwi beidio digio wrthyf, yr wyf yn hoff o'r Cymry erioed.'

Daeth fy holl hunanoldeb yn ôl ar unwaith, a dywedais y gallwn dderbyn cerydd, fy mod yn ceryddu rhai fy hun weithiau, a bod dihareb Gymraeg yn dweud na ddylai pobl sy'n cerdded yn droednoeth hau drain. Hoffodd y *Master* y ddihareb, a dywedodd yn awchus, –

'Mae honyna'n well na'r ddihareb Ysgotaidd am y tŷ gwydr. Dywedwch rai o'r lleill wrthym.'

Cyfieithais hynny o ddiarhebion oeddwn yn eu

cofio, gan wneud y camgymeriadau rhyfeddaf, oherwydd trwsgl iawn wyf yn fy Saesneg. Prin y medrai'r bechgyn eraill, er boneddigeidded oeddynt, beidio chwerthin; ond coethai'r *Master* fy Saesneg nes yr oedd yr hen ddiarhebion yn loyw yn eu gwisg newydd. Rhyngom troesom enw'r alaw 'Glan Meddwdod Mwyn' yn 'Sweet Verge of Drunkenness'. 'Cyfieithiad da iawn,' meddai, 'yr wyf yn cofio cydwladwr i chwi na fydd byth yn peidio condemnio y lan yna; yr ydych yn gwybod am Ruffydd Ellis, on'd ydych?'

Wrth adael ystafell forebryd y *Master*, teimlwn fod gan bob un o'r bechgyn hyn un cysur na allwn i ei hawlio. A dyma oedd, – teimlo mai nid efe oedd y ffŵl mwyaf yn y brecwast y bore hwnnw. Nid oeddwn yn ddigon hunanol i fedru cuddio oddi wrthyf fy hun y ffaith fy mod wedi gwneud asyn ohonof fy hun, a hynny ym mhresenoldeb Jowett.

Bwydo'r mochyn

Cefais lawer o fwynhad wrth i chwi ddarlunio eich dyledswyddau. Yr wyf fine'n cofio amser pryd y rhoddais, neu y treiais rhoddi, bwyd i'r moch. Yng Nghoedypry yr oeddym, ac nid oeddwn i fawr o oed. Yr oedd nhad wedi prynu porchell yn rhywle, ac yr oeddwn ine'n meddwl nad oedd dim yn y byd gen dlysed a'r mochyn, – doeddech chwi ddim wedi'ch geni yr adeg hono. Nid oedd genyf ddim ar y ddaear fawr ond fy nheganau, gwydrau a phethau ereill oedd Elin a Gras y Bryn wedi roi i mi. Penderfynais roddi y rhai hyn i'r mochyn, ac yr oedd yn aberth mawr. Torais hwy'n ddarnau, a dodais hwy yn ei fwyd. Trwy drugaredd gwelodd mam y drwg cyn i'r mochyn fwyta. Pe buasai wedi llyncu'r gwydr ni fuasai arno eisiau bwyd byth wedyn. Achubwyd ef a ches ine'r gospedigaeth fydd bechgyn o'r oed hwnw'n gael. Ni waeth i mi heb fanylu.

Llythyrau Syr O.M. Edwards ac Elin Edwards, 51

Tair sgwrs

Y mae Pen Bwlch y Groes yn dod â thair ysgwrs i'm meddwl. Yr oedd y gyntaf yn y bore gyda hen ŵr, yr ail yn y prynhawn gyda gŵr canol oed, a'r drydedd ar noson olau leuad, debyg iawn i hon, gyda gŵr ieuanc.

Ryw fore yn yr haf, lawer blwyddyn yn ôl, yr oeddwn yn eistedd yn blentyn ar ochr y ffordd ar ben y Bwlch. Wedi dod gyda'r codwyr mawn yr oeddwn. Cawn segura oherwydd na allwn eto ladd mawn, er y medrwn eu codi a'u gwneud. Gwelwn hen berson yn dringo'n araf o gyfeiriad Mawddwy. Yr oedd yn dal iawn, a cherddai'n wisgi a chyflym. Pan ddaeth ataf gwelwn fod ei wallt yn wyn, ond yr oedd ei lygaid yn dduon a chwareus. Eisteddodd yn fy ymyl, gan sychu ei chwys. 'Pa un ai chwi ynte fi gafodd y ffordd hwyaf i ddod yma?' gofynnai. 'Y mae eich ffordd chwi'n serthach, a'm ffordd i'n hwy,' meddwn. ' "Ffordd" yw'ch gair chwi,' meddai, 'ac nid wtra'.' A rywsut, llithrasom i sôn am eiriau. Dywedodd hefyd sut yr oedd gwneud ffordd hir yn ffordd fer. 'Tynnwch ysgwrs â'r bobl a welwch,' meddai. 'Holwch hwy. Cewch enw rhyw dŷ, neu ryw air, a wna ichwi fyfyrio'n hyfryd nes y dowch at rywun arall.' Daniel Silvan Evans oedd efe.

Bûm yn eistedd bron yn yr un fan ar brynhawn. Yr oedd plismon yn eistedd wrth fy ochr. Ei waith ef oedd cadw'r heddwch ym Mawddwy, ac yr oedd wedi dod i derfyn ei randir i gyfarfod ei gyd-swyddog o Benllyn. Yr oedd wedi ymdaflu i adrodd ei hanes ei hun. Cwynai ar ei ffawd. Beiai ei fam na roddasai addysg iddo. Dywedai mai nid plismon a ddylasai fod, ond gŵr cyfoethog yn ymroddi i lenyddiaeth. Ymunodd â'r heddlu er mwyn cael dyrchafiad. Tybiai, ond codi yn uchel yn ei reng, y câi fynd i ymyl llyfrau ac y câi fwy o seibiant. Ond drylliwyd ei gynlluniau pan oedd yn rhoi'r cam cyntaf i fyny. Yr oedd yn Aberɪno yn disgwyl am y prifgwnstabl. Tybiodd y byddai'n well iddo gryfhau, os nid llonni, ychydig arno'i hun trwy yfed ychydig gwrw. Rhoddodd rhyw elyn wisgi yn ei gwrw, neu ryw wirod niweidiol arall. Cododd y gymysgfa afiach i'w ben a chollodd bob rheol ar ei feddyliau ac ar ei dafod. Yn lle derbyn ei ddyrchafiad gan ei uwch-swyddog, rhoddodd iddo wers lem am ei ddiffygion ei hun. Wrth draethu, nid anghofiodd ddim achlod a glywsai am y prifgwnstabl. Ni ddaeth dyrchafiad. Yn lle ei gael ei hun ar y ffordd i ryw ddinas fawr, lle câi dreulio ei oriau hamdden mewn llyfrgell, alltudiwyd ef i Ddinas Mawddwy. Nid oedd ganddo lygad at fawredd natur, na theimlad i'r tyner mewn llenyddiaeth. Ffaith yn unig a apeliai ato, – dyddiad llyfr, lliw ei gas, ehangder poblogrwydd emyn, nifer argraffiadau traethawd. O dawelwch Bwlch y Groes, hiraethai am dref boblog; ymysg y grug, hiraethai am lwch llyfrgell. Na, nid mewn dinas fawr yr oedd i dreulio ei fywyd. Cofiaf byth am y siom oedd ar ei wyneb hirgul wrth gyfeirio pedwar bys hir a bawd o ddiystyrwch at y fro hyfryd oddi tanom, – 'Ond dyma'r Ddinas ges i.' Efe oedd Charles Ashton.

Ar noson loergan fel hon – adeg lleuad Medi, mi gredaf – safwn gyda bachgen ieuanc tal, goleubryd. Dod o Ddinas Mawddwy yr oedd yntau, ac yr oedd wedi bod yn areithio yno ar wleidyddiaeth. Wedi'r ddarlith yr oeddym wedi cyrraedd Pen y Bwlch rywbryd rhwng hanner nos ac un. Yr oedd yn olau fel dydd. Yr oedd y lleuad yn llawn, ac nid oedd cwmwl ar fron yr awyr dyner, olau, glir. Draw ymhell, uwchlaw ei gartref ef, gwelem lyn fel gem ar fronnau'r mynyddoedd yn fflachio gan oleuni'r lleuad lawn. Tybiem mai Llyn Creini oedd. Ond prin yr adwaenem unlle. Yr oedd pob man fel pe wedi ei droi'n ysbrydol. Yr oedd yr Aran, Craig yr Ogof, yr Arennig, a'r llu y tu hwnt iddynt, dan olau tynerach na golau'r un dychymyg. Gallasem dybio mai huno'n drwm yr oedd y mynyddoedd yn y dydd, ond eu bod yn awr wedi deffro, a'u bod yn fyw. 'Welwch chwi, Owen,' ebe fy nghydymaith, 'dacw Gymru wedi ei gweddnewid o'n blaenau. Gawn ni'n dau fyw i'w gweld wedi ei gweddnewid mewn gwirionedd?' Thomas Ellis oedd hwn.

Taith ar y trên

Gadewais Lanuwchllyn gyda'r trên unarddeg ddydd Sadwrn, gan adael Ned a John ar y platform i alaru ar fy ôl . . . Ni welais neb oeddwn yn adnabod yn Nolgellau . . . Gwaeth na hynny, nid oedd bosib gwybod a fedrwn gyrraedd Llanelli y nos honno . . . Er enwoced ydi Llanelli, ac er cymaint o gyfeillion imi sydd yno, – y mae Llanuwchllyn yn llawer llawnach nag unlle i mi. Wedi cyrraedd junction y Bermo, cefais fy hun yn teithio tuag Aberystwyth yng nghwmni amryw o hen gydnabod . . . Chwarter awr oedd i aros yn Aberystwyth. Yr oedd amryw hen ffrindiau yn fy nghyfarfod yn y stesion; ond gorfod imi brysuro i ffwrdd. Gadewais fy ambarelo ar ôl yn y trên, – yr oeddwn newydd roi pymtheg swllt am dano, – ac yr wyf yn sicr na chaf mohono byth. Yr oedd amryw bregethwyr yn cyd-fyn'd a fi, rhai na wyddoch chwi ddim amdanynt . . . O Aberystwyth i Dregaron, ac oddiyno i Lambedr, O roedd hi'n oer. Hen drên ara ara, cerbydau oerion heb glustoge na foot-warmers, barug gwyn ar Gors Glan Teifi, – yr oedd ein dannedd yn clecian ar eu gilydd, ac yr oeddym oll ymron a rhynnu. Nid oes dim yn dal cymaint arnaf fi ag oerfel, ac wfft i relwe Sir Aberteifi ar dywydd oer. Ym Mhencader cawsom well trên, ac yr oedd y nos yn disgyn arnom cyn bod tre Caerfyrddin yn y golwg. Yng

Nghaerfyrddin cawsom drên buan cynnes cysurus, – a ffwrdd a ni hyd lannau'r Tywi a chyda glan y môr tua Chydweli a Llanelli. Yr oedd geneth yn yr un compartment yr un fath yn union a chwi, – geneth hardd iawn o bryd a gwedd, un ag yr oedd yn bleser ei chlywed yn chwerthin, – a honno oedd yn gwneyd i mi feddwl fod y trên mor gynnes a chlyd. Bendith arnoch, Elin, buase Pegwn y Gogledd yn edrych yn gynnes pe buase chwi yno.

Llythyrau Syr O.M. Edwards ac Elin Edwards, 75

Eisteddfod Abertawe 1891

Côr Brynaman a ddechreuodd, – côr o weithwyr yn geirio'n ardderchog, ond gyda lleisiau braidd yn gras. Ar eu holau daeth côr Caerfyrddin, – côr o bobl â golwg fwy bonheddig arnynt, siopwyr y dre a meibion ffermwyr y gymdogaeth. Yr oedd tân yn eu datganiad o 'Ddinistr Gaza', ond collasant lawer o nerth drwy ganu'r 'Pererinion' yn Saesneg. Er hynny, yr oeddynt wedi swyno'r gynulleidfa, ac yr oedd lluoedd y cefn wedi meddwi ar fiwsig. Bu'r côr nesaf braidd yn hir yn dod i fyny ac fe'i mwynhâi'r dyrfa ei hun drwy roi'r cyweirnod, a gallesid clywed eu 'Doh' am filltiroedd. Cyn hir dechreuodd y dorf ganu eu hunain, a chawsom ddatganiad o 'Hen Wlad fy Nhadau' gan gôr o ugain mil.

Ond dacw gôr Treorci'n barod; dynion ag ôl chwys llafur ar eu hwynebau. Wrth wrando arnynt yr oedd y gynulleidfa'n ddistaw fel y bedd; daeth Mabon i mewn heb yr un floedd i'w groesawu, ac ni fedrai Morien gael neb i ddadlau am y cysylltiad rhwng y Logos a'r Maen Llog. Yr oedd y dyrfa mewn ysbryd nefolaidd erbyn hyn, a chyda bod y côr wedi gorffen, dyna'r ugeinmil eto'n canu 'Huddersfield', ac Emlyn Jones yn eu harwain, –

'Pa Dduw sy'n maddau fel Tydi
Yn rhad ein holl bechodau ni?'

Gelwid ar Emlyn Jones a Mabon i arwain canu tôn arall, ond cyfeiriai Mabon at gôr Glantawe, a gwaeddai, – 'Mae'r rhain yn barod, mae'r côr hyn yn barod!' Yr oeddwn i bron â newynu erbyn hyn, ac o babell y bwyd y clywais gôr Glantawe. Pan ddois yn ôl, yr oedd y gynulleidfa'n canu 'Aberystwyth' gydag eneiniad mawr, –

'Beth sydd imi yn y byd
Ond gorthrymder mawr o hyd?'

Wedi'r canu rhoddwyd graddau'r orsedd. Clywais weiddi enw hen Americanwr, mab pedwar ugeinmlwydd a ddaeth o'r Amerig i'r Eisteddfod, ond nid oedd yno yn y cynulliad hyfryd, ar ôl ystormydd a dychryn y dyddiau cynt.

Ymdaenodd distawrwydd dros y dyrfa anferth wedyn pan welwyd côr anorchfygol Pontycymer yn barod. Glowyr oeddynt, ac y mae'n anodd gennyf gredu fod gwell cantorion yn y byd. Yr oedd tân a mynd eu datganiad o ddernyn La Rille yn annisgrifiadwy; a phan ddaethant at ddernyn Dr Parry –

'Wedi pererindod bywyd,'

dernyn yn llawn adlais o alawon melysaf y Cymry – yr oedd y gynulleidfa bron â thorri allan i orfoleddu. Yr oedd y pum beirniad fel pe wedi'u hanghofio eu hunain, yr oeddynt wedi troi at y côr, gydag wynebau dan wên boddhad. *'Grand,*

passionate, inspiring,' ebe'r estron Signor Randegger
am y canu hwn. Hawdd y gallaf gredu fod dagrau
yn llygaid Dr Parry, yr oedd yn awr buddugoliaeth
iddo. Yr oedd ugain mil heblaw Signor Randegger,
Dr Parry, David Jenkins, John Thomas, a Mr
Shakespeare wedi eu swyno gan y canu hwn, –
arhosodd y distawrwydd yn hir wedi i'r côr dewi,
ac yna ymdorrodd bloedd canmoliaeth y dorf.

Wedi cael gosteg, cymerodd Major Jones y
gadair, anerchodd ni fel 'hoff gyd-wladwyr' – a
diolch i Unol Daleithiau'r Amerig am anfon Cymro
i gynrychioli'r Weriniaeth fawr yn nhref fwyaf
Cymru – ac yna eisteddodd, gan edrych yn syn ar
y dorf. A chyhoeddodd Gurnos, ar englyn, ei fod
yn ddyn â'i ddawn fel naw neu ddeg. Cyn i
weithwyr plwm Port Talbot fod yn barod, canodd
Llinos Sawel 'O peidiwch â dweud wrth fy
nghariad', yn swynol odiaeth. Y corau oedd yn
tynnu sylw pawb, – yr oedd yn rhaid craffu i
weled Morien brysur yn gwibio hyd ael yr
esgynlawr, a Clwydfardd hen â'i bwys ar ei ffon.
Daeth dau gôr Aberdâr, y naill ar ôl y llall, a
chlywid 'Hen Wlad fy Nhadau' yn ymgodi o gylch
meinciau dyrchafedig y cefn, fel cwmwl
mynyddoedd.

Ni fûm erioed mor falch o Gymru, tybiwn ein
bod yn ben gwlad y byd. Ond, – pan ddêl balchder,
fe ddaw gwarth. Am gyfansoddi miwsig i
offerynnau tant, dywedodd Signor Randegger nad

oedd ond un yn deilwng, a bod 'ei gof yntau'n rhy gryf i gael gwobr am beth gwreiddiol.' Tybiwn fod y geiriau amlwg oedd ar y llwyfan – 'Môr o gân yw Cymru i gyd' – yn gwrido ac yn myned yn llai lai. Medrwn ganu'n ardderchog, ond canu caneuon wedi i eraill eu gwneud. Er hyn, down ninnau'n gyfansoddwyr; pan fo cenedl yn galw am ddyn, y mae'r dyn hwnnw'n siŵr o ddod. Ysbryd cenedl sy'n gwneud cerddor a bardd.

Dacw lowyr y Rhondda ar eu traed. Y mae'r canu'n oerach nag o'r blaen a chollwyd grym 'Y Pererinion' trwy gymryd y geiriau Saesneg. Côr Treherbert oedd yr olaf, – creodd ddistawrwydd a gorfoledd yn y dorf. Yn y distawrwydd hwnnw cododd Hwfa Môn, ac mewn llais fel adlais y canu, dywedodd wrthym am Eisteddfod Chicago, 1893. Ni fedrid gadael Cymru heb Eisteddfod, rhaid ei chynnal ym Mhontypridd, ond anfonir beirdd a chantorion dros Iwerydd. Testun y gadair fydd, –

'IESU, o *Nasareth.*'

'Amen,' ebe rhywun yn fy ymyl, o eigion ei galon. Ond gwrandewch ar y llais utgorn arian, –

'Bydd clustiau'r gorllewin, bydd clustiau'r dwyrain, bydd clustiau'r gogledd, bydd clustiau'r de, bydd HOLL GLUSTIAU'R DDAEAR yno'n gwrando.'

Wedi i Eifionydd ddweud rhywbeth yng nghanol

twrw, wele feirniaid arwrgerdd y goron ar y llwyfan. Watcyn Wyn a ddarllenai'r feirniadaeth, yr oedd Dafydd Morganwg wedi mynd adre, ac nid oedd Elis o Wyrfai wedi dod o'r Gogledd. Yr oedd y feirniadaeth yn hir, ond yr oedd y dyrfa'n berffaith dawel, oherwydd bod yr hin yn braf, a llais Watcyn Wyn yn glir, a'i iaith Gymraeg wrth eu bodd. Pan waeddwyd am wir enw'r buddugwr, bu cyffro ac edrych o gwmpas fel cynt hyd nes y cododd gŵr tal, du ei wisg, dan wenu, yng nghyffiniau'r llwyfan. Yr oeddwn yn digwydd bod yng nghanol nifer o hen fyfyrwyr Aberystwyth, a mawr oedd eu llawenydd pan welsant mai David Adams, bardd eu coleg, a safai ar ei draed. Daeth Llew Llwyfo a Gwynedd o fysg y beirdd i'w geisio; gofynnodd Clwydfardd fel cynt a oedd heddwch, a chafodd ateb taranllyd fod; ac yna gosododd Cadfan y goron arian ar ben y bardd buddugol. Ychydig a feddyliai Oliver Cromwell, wrth basio Abertawe ar ei hynt yn erbyn Poyer a Chymry'r De, y coronid bardd ar lan y môr ymhen llai na dau gant o flynyddoedd am ganu arwrgerdd Gymraeg iddo.

Gyda bod y coroni drosodd, ymadewais i â'r babell, er mwyn cael bod mewn pryd i glywed 'Emmanuel' Dr Parry y nos. Yr oedd y babell yn orlawn, a'r datganiad yn ardderchog. Un peth oedd yn ôl, – dylesid canu'r oratorio yn Gymraeg. Er cystal cyfieithydd ydyw Dewi Môn, nid oes gyfieithiad a fedr gadw grym a symlrwydd Gwilym Hiraethog; ni fuasai waeth ceisio gwisgo hen wladwr mewn dillad dandi'r *boulevard* yn lle brethyn cartref. Ac ar gyfer y geiriau Cymraeg, mae'n amlwg, y mae'r oratorio wedi ei chyfansoddi. Yr oedd y datganiad yn rhoddi tymer addoli i'r dyrfa, – blodeued cerdd Cymru i lawer oratorio o'i bath. A chyda thôn gynulleidfaol Gymreig, tôn a anwylir ym mhob tref a chwm, y darfu Eisteddfod Genedlaethol 1891 . . .

Yr oedd Eisteddfod Abertawe'n hollol ddemocrataidd; nid ar bresenoldeb tywysog nac arwr y dibynnai ei llwyddiant, ond ar gariad glowr y Deheudir at gelf a chân. Daeth y Tywysog Henry o Fattenberg yno, heb ei ddisgwyl, yr wyf yn meddwl, ac yr oedd yn dda gan bawb ei weled, cafodd groeso iawn. 'Faint yn llai o bobl fuasai yma, pe heb y Tywysog?' gofynnais i un o aelodau'r pwyllgor. 'Un,' oedd yr ateb.

Cyhoeddiad yn Llangeitho

Ond daeth y prynhawn Sadwrn o'r diwedd. Chwi nad ydych yn bregethwyr, diolchwch na roddwyd arnoch yr anghenraid o wynebu cynulleidfa ar ddydd gorffwys y greadigaeth. Cychwynnais gydag efrydydd arall o Aberystwyth am hanner awr wedi dau. Yr oeddwn yn diolch fod y trên yn mynd mor araf er mwyn i mi gael mwynhau'r golygfeydd ar fy nhaith gyntaf i'r Deheudir. Cododd y tai to gwellt a'r teisi mawn hiraeth melys arnaf am ucheldir Sir Feirionnydd, a gwelwn ein bod yn mynd ymhellach o wlad y llechi. Tybiwn fod golwg dlawd ac oer ar y rhan gyntaf o'n taith, – Corsh Fochno ar un llaw, a mynyddoedd eang ar y llall. Ond toc daethom i wlad frasach, a phob peth yn edrych yn hyfryd aeddfed ynddi. Peth rhyfedd i mi oedd y tŷ pridd cyntaf a welsom. O bridd y gwneir y tai – fel y bobl – ac y mae golwg hyfryd arnynt pan wedi eu gwyngalchu. A chyn hir cawsom gipolwg ar flaen dyffryn swynol Aeron.

Yr oedd fy nghyfaill yn fy ngadael, ac yn mynd i Abermeurig at y Sul. Un direidus iawn oedd, a llawer tric a chwaraeodd â mi. Cyn ymadael, dywedodd hyn yn olaf o lu o gynghorion, –

'A chofia di hyn. Y mae dyn bach yn sêt fawr Llangeitho, yn eistedd dan y pulpud. Os gweli di ben hwnnw'n edrych arnat heibio i'r pulpud, tro ben ar dy bregeth y munud hwnnw.'

'Pam?' meddwn innau, yn bur ofnus.

'Paid â gofyn pam i mi; ond, os na throi di ben ar dy bregeth pan weli di ben y dyn bach, gwae i ti . . .'

Bore drannoeth, a bore Sabbath oedd hi, yr oedd golau melyn yr haf yn tonni dros hyfrydwch y wlad dawel. Yr oedd cyfarfod gweddi yn gyntaf peth yn y bore, ac eis innau iddo. Yr oedd yno weddïo taer gan hen bererinion hyddysg iawn yn eu Beibl. Arhosodd gŵr hynaws gyda mi, ac atebodd lawer o'm cwestiynau. Deellais mai clochydd y pentref oedd un o'r gweddïwyr, hen ŵr hen iawn. Nid oedd teimladau mor chwerwon yr adeg honno rhwng Eglwys Loegr a'r Methodistiaid, a byddai llu'n mynd o'r capel wedi pregeth y bore i'r eglwys. Yr oedd yno hen ŵr arall, a llawer o newydd-deb naturiol a thrawiadol yn ei weddi, ac yr oedd rhywbeth yn ei ddull a'i bryd a wnâi imi ymawyddu am wybod ei hanes. 'Yr ydych chwi'n dod o Lanuwchllyn,' meddai fy nghydymaith, 'yr wyf yn cofio Ifan Ffowc yn dod yma ar daith, ac yn holi profiad yr hen frawd yna yn y seiat. Yr oedd wedi tywyllu arno y pryd hwnnw, meddai ef; ac ni fuasech byth yn meddwl, wrth wrando ar ysbryd nawsaidd ei weddi heddiw, mor bell yn nhir sychder yr oedd.' Ac adroddodd yr ymgom hon a fu rhwng Ifan Ffowc a'r hen ŵr yn y seiat, –

'A fyddwch chwi'n cael blas ar y moddion?'

'Na fydda ddim,' yn swta iawn.

'Dim blas ar y seiat?'

'Dim.'

'Ydych chwi'n darllen y Beibl?'

'Nagw i.'

'Wel, wel. Waeth i chwi heb seiat na chyfarfod gweddi na Beibl na dim. A wnewch chwi addo peidio dod i'r gymdeithas mwy?'

'Na wnaf,' – yn wresog iawn.

'Gan eich bod wedi gorffen â'ch Beibl, a wnewch chwi ei werthu i mi?'

'Na wnaf byth!'

Trodd Ifan Ffowc at y bobl, a dywedodd, – 'Y mae'r perl gan y brawd hwn, ond y mae rhyw lwch wedi casglu o'i gwmpas.' Yna adroddodd ystori am deulu tlawd mewn gwlad y gwyddai ef amdani. Yr oeddynt yn mynd yn dlotach o hyd, gorfod iddynt adael eu ffarm, ac nid oedd ganddynt ond ychydig iawn wrth gefn. Aeth y gŵr i Awstralia, a llawer o ddisgwyl a fu ymysg y teulu bach am arian oddi wrtho i ddod ar ei ôl. Daeth llythyr oddi wrtho o'r diwedd, a blwch bychan i'w ganlyn. Dywedai'r llythyr wrthynt am ddod i wlad llawnder, ond nid oedd dim ond cerrig anolygus yn y blwch. Tybiai'r wraig fod rhywun wedi eu hysbeilio, gan roi cerrig yn lle'r arian yn y blwch. Daeth llythyr wedyn, a blwch arall. Ond nid oedd ynddo ond cerrig a llwch. Erbyn hyn yr oedd arian y wraig wedi darfod; ac nid oedd dim amdani ond mynd ar y plwyf. Pan ddaeth y swyddog yno yr oedd y wraig a'r plant yn wylo'n chwerw. Er mwyn dangos iddo mai nid yn gyfiawn yr oeddynt yn dlawd, dangosodd y wraig y ddau flwch i'r swyddog, a dywedodd fel y lladratasai rhywun yr arian a fuasai yn eu cludo'n ddifyr i lawnder. 'Ond yr wyf wedi cadw hyd yn oed y llwch,' ebe'r wraig, trwy ei dagrau, wrth sôn am ei gŵr, 'oherwydd ei fod yn dod oddi wrtho ef.' Edrychodd y swyddog ar y blychau, a dywedodd wrth y wraig, 'Wraig, cyn ichwi fynd ar y plwy, gadewch i mi eich hysbysu fod gennych ddigon yn y blwch yna i brynu'r plwy i gyd.'

'Yr wyf finnau wedi dod yma,' ebe Ifan Ffowc, gan droi at y gŵr oedd yn amau ei grefydd, 'i ddweud wrth y brawd hwn fod perl yn y blwch.' 'A byth er hynny,' ebe'r adroddwr wrthyf fi, 'y mae tinc felys yng ngweddi'r hen frawd hwnnw, a sain gobaith yn ei brofiad.'

Daeth awr oedfa'r bore. Dylifai'r bobl o'r wlad oddi amgylch, rhai ar draed a rhai ar feirch, i'r capel fel yn amser Daniel Rowland. Y mae drws yn nhalcen y capel, yn agor yn union i'r pulpud. Un funud y mae'r pregethwr allan, a'r caeau hyfryd yn ymestyn o'i flaen, dan dawel unigrwydd y Sabbath; y funud nesaf y mae wedi agor y drws, ac yn gweld ugeiniau o wynebau'n syllu'n ddifrifddwys arno . . .

Bore drannoeth cyn ymadael cofiais am ddywediad fy nghyfaill direidus am y dyn bychan hwnnw yr oedd ei ymddangosiad i roi pen ar fy mhregeth. Trwy drugaredd, yr oedd fy mhryder gyda'm pregethau wedi peri imi anghofio popeth amdano drwy gydol y dydd. Dywedais fy ofnau wrth yr hen westywraig, ac ebe hi, mewn tôn oedd yn llawnach o gydymdeimlad nag o ddireidi, –

'Fy machgen mawr i, yr oeddych chwi mewn perffaith ddiogelwch oddi wrtho.'

Deellais wedi hynny na fyddai'r hen frawd hwnnw byth yn ymddangos oddi tan y pulpud ond pan gâi pregethwr hwyl.

Dolwar Fechan

Ni welwn o'm blaen ddim, cyfannedd nac anghyfannedd, ond y llwybr syth yn mynd i fyny'r bryn, a'r gwrychoedd o bobtu'n gwywo yng ngwres llethol yr haul. Ond yn y man, wrth edrych ar hyd y llwybr, fel yr oeddwn yn dynesu at ben y rhiw, gwelwn fynyddoedd pell, fel breuddwyd gŵr ieuanc, yn ymgodi'n brydferth a gwyrdd. Cerddais hyd ffordd weddol wastad hyd nes y deuthum at lidiart y mynydd. Ar yr aswy yr oedd y mynydd rhydd braf, gydag eithin a danadl poethion a brigau'r twynau'n tyfu ar hyd-ddo, a bryniau Maldwyn yn hanner-cylch y tu hwnt iddo. Ar y dde gwelais lidiart, a banhadlen Ffrainc, yn holl gyfoeth ei chadwynau aur o flodau, yn crogi uwch ei phen. Euthum drwy'r llidiart hon, ac wedi cerdded ychydig funudau, gwelwn Ddolwarfechan o'm blaen. Nid oes dim yn hynafol nac yn rhyfedd yn y lle; gwelir ugeiniau o ffermdai tebyg rhwng bryniau hyfryd Maldwyn. Y mae'r tŷ'n newydd, a golwg lân a chysurus arno ynghanol ei erddi blodau ar lethr y bryn. Ychydig ymhellach i lawr, ar waelod y dyffryn bychan, y mae'r adeiladau – yr ysguboriau, y beudai, yr helm drol – rhai ohonynt fel yr oeddynt pan oedd Ann Griffiths yn dysgu cerdded gyda'u muriau. Ymhellach i lawr y mae'r cadlasoedd, dan gysgod pinwydd, ac yna gweirgloddiau dan eu gwair.

Prysurais i lawr at yr adeiladau, gan groesi'r ffrwd sy'n rhedeg o'r ffynnon, – dyfroedd gloyw fel y grisial a welodd Ann Griffiths lawer blwyddyn cyn darllen hanes y dwfr yn tarddu dan yr allor yn seithfed bennod a deugain Eseciel. Oddi wrth yr adeiladau hyn, dringais i fyny at y tŷ, gan geisio dyfalu pa fath bobl oedd yno. Euthum drwy lidiart yr ardd, a phan oeddwn yn edmygu'r blodau, daeth hen wraig hardd, a'i hwyneb yn wenau i gyd, i'm croesawu.

'Dyma Ddolwar-fach, ynteu?'

'Ie, dowch i fewn o wres yr haul. Ydech chwi'n dŵad o bell, gen mod i mor hy â gofyn?'

'Mi gerddais o Lanfyllin; sawl milltir gerddais i?'

'Wyth. Y mae arnoch chwi eisio bwyd; dowch at y bwrdd i gymryd tamed o ginio.'

Ni fynnwn ginio, ond gofynnais a roddai hi i mi gwpanaid o ddŵr oer. Daeth â gwydraid o lefrith i mi, a'r hufen melyn yn felys arno. Llawer gwaith wedyn, pan fyddwn yn yfed llefrith a'i hanner yn ddŵfr a'i hufen wedi ei hel yn ofalus oddi arno, bûm yn hiraethu am y glasiaid llefrith a gefais yn Nolwarfechan. Tra oeddem ni'n ysgwrsio, clywem droediad ysgafn ar y llofft uwchben. Gwelodd y wraig fy mod yn dyfalu pwy oedd yno, a chododd ei llais i alw:

'Ann!'

'Ann,' ebe finnau, 'a ydyw teulu Ann Griffiths

yn yr hen gartef o hyd?'

'O nac ydyw, ar ôl ei theulu hi y daethom ni.'

'A oes rhai o ddodrefn yr hen deulu wedi aros?'

'Nac oes ddim, ac ni wn i a oes rhai o'r hen deulu yn aros ychwaith.'

Wedi imi gael ysgwrs â'r wraig am amaethyddiaeth, ac â'r ferch am flodau'r ardd, daeth yr ysgolfeistr, a letyai yno, i'r tŷ. Y mae'n ŵr deallus, yn sylwedydd craff. Dywedai am ei anhawster i ddysgu plant Cymreig, oherwydd Sais uniaith yw, a mawr ganmolai gyflymder meddwl plant y bryniau rhagor plant Saeson y gwastadeddau. Ond ni chlywsai air erioed am Ann Griffiths; ac edrychai'n ddrwgdybus arnaf, fel pe bawn un heb arfer dywedyd y gwir, pan ddywedais wrtho ei fod yn byw yn nhŷ emynyddes orau'r byd.

Ni welais erioed liwiau mwy gogoneddus na lliwiau'r blodau y prynhawn hwnnw; yr oedd y rhosynnau gwylltion a welwn rhyngof ac awyr Mehefin ar bennau'r gwrychoedd, yn orlawn o oleuni; yr oedd goleuni'r haul yn brydferthach pan adlewyrchid ef o'u gwynder hwy na phan edrychid ar yr haul ei hun, fel pan yn

Disgleirio mae gogoniant Trindod
Yn achubiaeth marwol ddyn.

Wedi'r ffordd hir, hyfryd oedd cyrraedd mynwent Llanfihangel-yng-Ngwynfa, a gadael y gwres annioddefol, a myned i mewn i'r eglwys dywy!l, oer. Nid oes dim neilltuol yn yr eglwys; ond tra oeddwn ynddi daeth cyfnewid dros y diwrnod, – yn sydyn duodd yr awyr, ymrwygai taranau dychrynllyd trwyddi, fflachiai mellt nes y byddai'r eglwys dywyll yn olau a beddargraff teulu Llwydiarth yn ymddangos fel ysgrif gwledd Belsasar, yn amlwg ar ei mur. Dôi rhyw ddarn emyn o waith Ann Griffiths i'm cof o hyd:

Pan fo Sinai i gyd yn mygu,
 Sain yr utgorn uchaf radd,
Caf fynd i wledda dros y terfyn
 Yng ngrym yr aberth, heb fy lladd.

Rhedais drwy'r glaw bras trystfawr i'r hen westy hwn, a dyma fi. Y mae amryw fforddolion fel finnau wedi troi i mewn am nodded ar fy ôl, ac mewn hwyl ysgwrsio â mi. Treiais dynnu ysgwrs am ysbrydion a rheibio, ond cynnil iawn oedd eu hatebion, – yr oeddwn yn rhy debyg i bregethwr. Yr oedd yno un dyn deallus a llais dwfn, mwyn, ffarmwr o ardal Pontrobert; nid oedd gan y clochydd air ond ambell amen ynghanol ysgwrs y lleill; yr oedd yno was ffarm, wedi gorfod ymadael o'i le oherwydd yr 'wimwimsa,' fel y galwai yr influenza. Efe oedd y prif siaradwr yn ein mysg. Cwynai nad oedd ganddo unlle ar y ddaear las i droi iddo; ie, ei bod 'wedi mynd yn draed moch ac yn botes llo' arno. Wrth weled cot ddu amdanaf,

dechreuodd siarad ar bwnc a dybiai oedd yn
gydweddol â'm chwaeth, sef Siân Hughes,
Pontrobert, a glywais unwaith ar stryd y Bala,
amser Sasiwn, yn pregethu yn erbyn y diafol a sol-
ffa. 'Mi fydde'n sôn am iffern, a pheth whithig o
bethe, wrth fechgin ifinc,' ebe'r gwas ffarm, yr hwn
a ddychrynasid lawer o weithiau, mae'n debyg,
gan bregethau'r hen wraig. Yr oedd y Siân Hughes
honno, onid wyf yn camgymryd, yn ferch i Ruth,
morwyn Dolwarfechan, ar gof yr hon y cadwyd
emynau Ann Griffiths.

Ond y mae'r cerbyd wrth y drws yn disgwyl,
rhyw fath o drol gwlad ysgafn, ac ystyllen ar ei
thraws. Y mae'r awyr yn goleuo, y mae'r glaw
wedi troi'n wlithlaw tyner, y mae'r aberoedd yn
llawn at yr ymylon, y mae'r coed yn tyfu i'w
gweled wedi'r glaw maethlon. Cyn hir bydd dau ar
yr ystyllen groes, mewn trol glonciog, ar ffordd
Llanfyllin; a bydd un ohonynt, o leiaf, yn meddwl
am emyn, os nad yn ei ganu:

Gwna fi fel pren planedig, O fy Nuw!
Yn ir ar lan afonydd dyfroedd byw;
Yn gwreiddio ar led, a'i ddail heb wywo mwy
Yn ffrwytho dan gawodydd dwyfol glwy.

Ieuan Gwynedd

'Faint o ffordd sydd oddi yma i Fryntynoriad?' ebe
fi wrth wraig oedd yn sefyll gyda dau blentyn wrth
y drws. Dywedai fod siwrnai hir i fyny i gyfeiriad
pen y Garneddwen, hyd ffordd y Bala. Bu dadl
rhyngof a'r bachgen bach am oed Ieuan Gwynedd
pan symudodd ei rieni o'r Bryntynoriad i'r Tŷ
Croes. O'r diwedd dywedai fod ganddo lyfr a
setlai'r cwestiwn, – llyfr oedd ei frawd hynaf, sydd
yn gwasanaethu yng Nghwm Hafod Oer, wedi ei
yrru iddo. Aeth i'r tŷ, a daeth â rhifyn o *Cymru'r
Plant* yn fuddugoliaethus, i roi taw arnaf.

Cychwynnais hyd ffordd dan y coed tua
Bryntynoriad. O'm blaen yr oedd Dolgamedd, ar
fryn, yn debycach o bell i dŷ Elisabethaidd neu
fynachlog na dim arall. Oddi yno cefais lwybr
troed i lawr y cae a thrwy goedwig fechan i'r
ffordd haearn. Cerddais ennyd hyd hon, gan
ryfeddu at ddistawrwydd ac unigedd gwaelod y
cwm, lle nad oedd prin le i'r afon a'r ffordd. Toc
gwelwn feudy megis pe'n edrych arnaf dros ochr
rugog y ffordd. Dringais i fyny ato, a gwelais
gaeau, yn lle coedwig fel o'r blaen. Dechreuais
ddringo i fyny. Yr oedd y distawrwydd yn
teyrnasu o hyd, oddieithr bod sŵn carnau meirch
carlamus yn dyfod o'r ffordd islaw. Ond wele wlad
fawr boblog yn ymddangos wrth imi ddringo i
fyny, ffermydd laweroedd a beudai, a chynhaeaf

gwair prysur. O gwmpas y cylch o ffermydd yr oedd cylch pellach ehangach o fynyddoedd ysgithrog, a gwelwn Gadair Idris yn codi'n bigfain i'r niwl tua'r de. Ni fûm mewn lle hyfrytach erioed nag ar ben y banciau hyn. Aberoedd grisialaidd, ffrwythau aeddfed, arogl gwair sych cynaeafus, awel y mynydd ac awel y môr, – dyma le i'r gwan gryfhau. Ar ein cyfer dacw'r Hengwrt Ucha; a thraw ar fin y mynydd, uwch ei ben, dacw'r Blaenau, cartref Rhys Jones, cynullydd *Gorchestion Beirdd Cymru.* Ymhellach fyth y mae'r Rhobell gawraidd yn edrych i lawr ar y llethrau a'r dyffryn.

Cefais ymgom ddifyr â llawer amaethwr y diwrnod hwnnw. Dywedent fel y byddai pawb ar ei dir ei hun unwaith – Pantypanel, Coedmwsoglog, Coed y Rhos Lwyd, Maesycambren, Brithfryniau, a llu eraill – oll erbyn heddiw wedi eu gwerthu i dirfeddiannwr mawr. Sylwais gymaint yn dlysach oedd yr hen dai na'r tai sydd newydd eu codi; ond nid oedd amser i holi beth oedd y rheswm.

Heibio i lawer cartref dedwydd, a phawb ond y plant a'r cŵn yn prysur gario gwair, cyrhaeddais Esgair-gawr. Yr oedd y cerdded hyd ael y bryniau a thrwy'r coed wedi codi mawr eisiau bwyd arnaf. Cefais lawer gwahoddiad gan y ffermwyr caredig i droi i mewn 'i gael tamaid', ond yr oeddwn yn fy nghadw fy hun at y te oedd yn Esgair-gawr. O'r cartref croesawus hwnnw cefais ffordd hyfryd, dros gaeau a than goed, i Fryntynoriad. Gwelais y llyn lle y bu ond y dim i Ieuan Gwynedd foddi cyn bod yn ddwy flwydd oed, – ond anfonodd Rhagluniaeth ryw ffermwr yno mewn pryd. Y mae Bryntynoriad yn agos iawn i ben y Garneddwen, y mynydd sy'n gwahanu dyffryn Dyfrdwy oddi wrth ddyffryn Wnion. Y mae'n bur neilltuedig, mewn cwm main, a gelltydd coediog bob ochr. Yn awr y mae'r ffordd haearn yn mynd heibio iddo, a gorsaf Drws-y-nant ychydig yn nes i lawr. Ond unig a thawel ydyw eto. Y mae dwy adain i'r tŷ, a chanol, y canol yn dŷ annedd, a'r adenydd yn ysgubor a beudy. Wrth ei gefn y mae coed a ffridd serth y Celffant. O'i flaen y mae cae bryniog dymunol. Oddi ar y cae gwelir Wnion fechan islaw, a'r Wenallt goediog ar ei gyfer. Gwelir agoriad rhwng y mynyddoedd i gyfeiriad y Bala, dros ddraenen y cymerodd rhywun lawer o ofal gyda'i thyfiant.

Ond gadewch inni fynd i'r tŷ. Y mae ynddo wraig garedig, siaradus, a doniol dros ben, – Annibynwraig, bid siŵr. Awn i fyny, gris neu ddwy, a dyna'r gegin ar y dde. Llawr tolciog ydyw, wedi ei lorio â cherrig bychain. Yr oedd yna dân braf o dan y simnai fawr, a'r tegell yn berwi ar gyfer y cynaeafwyr gwair, – yr oedd y glaw wedi gorchuddio'r fro erbyn hyn, a'r gwair mewn diddosrwydd neu ar y cae.

Ac yma y dysgodd Ieuan Gwynedd gerdded.

Nid oedd yn cofio llawer am y lle; ond yr oedd yn cofio'r diwrnod mudo i'r Tŷ Croes, er nad oedd yn ddwyflwydd oed, oherwydd ei fod wedi medru cario 'ystôl mam' ar draws yr aelwyd. Ac ar yr aelwyd hon y sïwyd ef gan ei fam, y magwyd ef gan ei dad, ac y cusanwyd y 'bachgen bach' gan ei frawd. Dangoswyd y 'siamber' imi hefyd, yr ochr arall i'r drws, lle ganwyd Ieuan.

Ryw dro bu ef ei hun yn edrych ar fan ei eni. 'Amgylchais y tŷ yn ôl ac ymlaen. Chwiliais am le y ffenestr o flaen pa un y'm ganesid; ac fel yr oeddwn yn myned ôl a blaen o gylch y fan, teimlwn fel na theimlais erioed o'r blaen. Dyna y llannerch lle y dechreuaswn fyw. Yno y'm brys-fedyddiwyd, rhag fy marw'n ddifedydd, a chael yr helbul o fy nghladdu yn y nos ym mynwent Dolgellau, yr hon oedd dros saith milltir o ffordd o'r lle. Yno y gorweddaswn i a fy mam am oriau, a'r bobl yn disgwyl i ni farw am y cyntaf; ac yno y cyneuwyd ynof y gannwyll yr hon na losga tragwyddoldeb allan. Yno y dechreuaswn fyw, yno y dechreuaswn farw. Yno y dechreuais fy llwybr i'r wybrennau, ac yno y dechreuais fy ffordd i'r bedd.'

'Ffordd i'r bedd,' a'r diwedd yn y golwg yn ddigon aml, oedd bywyd byr a brau Ieuan Gwynedd.

Ymysg y gwladgarwyr a newidiodd wedd meddwl Cymru yn y blynyddoedd diwethaf, nid y lleiaf oedd ef.

Gwnaeth gymaint am fod ei fywyd mor debyg i fywyd ei frodyr, tra oedd amcanion y bywyd hwnnw mor anhraethol uwch. Plentyn Cymru oedd ymhob peth, – ar y Beibl y cafodd ei fagu, sêl dros ddirwest a ddeffrôdd ei enaid, awydd angerddol am wybodaeth a wnaeth iddo fyrhau ei ddyddiau o fyfyrdod tlawd a gwaith amhrisiadwy.

Dyhead ei fywyd oedd gweled Cymru'n lân ac yn rhydd; yn lân oddi wrth bechod, a'i meddwl yn annibynnol ar bawb ond ar ei Duw. Ond er mor chwerw oedd yn erbyn ei phechodau, ni fedrai oddef i neb ei chamddarlunio a'i gwawdio, fel y dengys ei ysgrifau miniog yn erbyn bradwyr y Llyfrau Gleision.

Fel ysgrifennydd y gwasanaethodd Gymru orau. Yr oedd ei sêl – a'i afiechyd, efallai – yn ei wneuthur yn chwerw weithiau at ei wrthwynebwyr, ond maddeuir pob gair garw pan gofir am ei lafur llethol gyda'r *Adolygydd*, a chyda'r *Gymraes* yn enwedig. Gwelodd mor bwysig oedd merched Cymru; gwyddai y medrent hwy newid y ffasiwn o ddirmygu iaith eu gwlad. Gwelodd fod ar feddwl Cymru eisiau sylfaen o wladgarwch goleuedig, a buasai wedi ysgrifennu llyfr ar hanes Cymru pe tebyg y rhoddasai ei gyd-wladwyr groeso iddo.

Harris a Threfeca

A dyma'r eglwys lle gorwedd Hywel Harris, utgorn y Diwygiad! Yn yr eglwys acw yr argyhoeddwyd ef, a rhoddwyd ef i orwedd lle y clywodd lais Duw yn cynnig trugaredd iddo. A dacw'r fan lle pregethai pan basiodd William Williams ar ei ffordd adref o'r ysgol i Bantycelyn. Bore a gofiwyd byth gan William Williams oedd hwnnw:

> Dyma'r bore, byth mi gofiaf,
>   Clywais innau lais y nef;
> Daliwyd fi wrth wŷs oddi uchod,
>   Gan ei sŵn dychrynllyd ef.

Ychydig lanerchau ar ddaear Cymru sydd mor gysegredig i deimlad Cymro â'r llannerch hon, – lle gwelwyd apostol cynhyrfus y Diwygiad yn pregethu argyhoeddiad i emynwr y Diwygiad.

Llannerch dawel, brydferth ydyw. Y mae ar ychydig o godiad tir, a dringir iddi o dref fechan Talgarth, a welwn o bobtu i aber Ennig, a helyg ac ysgaw rhyngom a hi. Y mae golwg hyfryd ar y wlad oddi amgylch; saif cylch o fynyddoedd gwyrddleision fel gwylwyr uwchben y fynwent, a chyfyd tŵr ysgwâr yr eglwys i fyny'n uchel ac yn hy i ddangos ysbotyn mwyaf cysegredig y fro ddiddorol a phrydferth hon. Y mae'n bedwar o'r gloch ar gloc yr eglwys, ac y mae distawrwydd adfywiol nawn haf wedi disgyn fel gwlith ar y wlad ffrwythlon, dyfadwy. Y mae rhyw orffwys breuddwydiol yn meddiannu f'enaid innau wrth nesáu at y fynwent; a si hen ddigwyddiadau, fel ysbrydion llawer cnul a llawer claddfa, yn llenwi'r distawrwydd ar nawn haf. Y mae hud dros bopeth, prin y mae digon o natur beirniadu ynof i gael poen oddi wrth y cerrig beddau di-chwaeth, gyda'u llythrennau efydd, sydd ymhlith hen gerrig mwsoglyd y fynwent. Sefais ar ddamwain cyn dyfod at borth yr eglwys, a disgynnodd fy ngolwg ar enw Hywel Harris. Carreg fedd ei dad oedd. Ar hon y dywedir fod Hywel Harris yn pregethu pan safodd Williams Pantycelyn, wrth fynd heibio, i glywed ei alwad ef ei hun. Y mae'r llythrennau mor berffaith ag yr oeddynt pan safai Hywel Harris, os safai hefyd, ar y garreg i gyhoeddi ei newyddion rhyfedd. Yr oedd gwirioneddau'r byd tragwyddol mor fyw o'i flaen ef fel mai prin y sylwai, efallai, ar yr olygfa o'i gwmpas. Eneidiau anfarwol, nid mynyddoedd a lama fel hyrddod a bryniau a brancia fel ŵyn defaid, a welai ef. Ond maddeuer i mi o gyneddfau gwannach a chyda llai o ddychymyg, am syllu ar yr olygfa. Y mae'n araf godi o'm blaen, fel yr oedd y diwrnod y daliwyd yr emynwr â gwŷs oddi uchod. Dacw Hywel Harris ar y garreg fedd, a'i lais yn ddychryn i'r dyrfa sy'n gwelwi o'i flaen. Dacw ŵr ieuanc ar ei ffordd adref o'r ysgol wrth ddrws y fynwent, yn gwasgu'n agosach i gwr y dorf, ac yn colli golwg arno ei hun wrth wrando, mewn syndod a dychryn, ar y llais taran hwnnw. O flaen y pregethwr y mae chwech o yw mawreddog – y maent yno eto yn eu duwch wylofus – a thref Talgarth. Uwchben dacw'r Mynydd Du; ac o amgylch y mae bryniau blodeuog ardal sydd ymysg ardaloedd tlysaf Cymru.

Nid rhaid myned ymhell i gael hanes olaf y pregethwr a gynhyrfodd fwyaf ar Gymru o'r holl bregethwyr a fu yng ngwlad y pregethu erioed. Euthum ymlaen trwy'r fynwent, ac at ddrws yr eglwys. Y mae'r eglwys yn isel a llydan, ac yn drymaidd iawn y tu mewn. Cerddais yng nghyfeiriad y côr, a gwelwn ysgrifen hanes Hywel Harries ar garreg.

Gwelais lawer carreg fedd mewn llawer gwlad mewn llawer lle rhyfedd – gwelais y garreg ar fedd gwag Dante, gwelais fedd Chateaubriand mewn craig yn nannedd y tonnau, gwelais feddau rhai enwog mewn eglwysi mawrwych – ond ni theimlais gymaint yn unlle ag yn eglwys drymaidd dywyll Talgarth. Hyfryd i Hywel Harris oedd huno lle y clywodd y bywyd newydd yn ymweithio yn ei enaid. Teimlwn fod mwy na bedd yn eglwys Talgarth; teimlwn fy mod ar lecyn genedigaeth Cymru newydd. Beth bynnag arall a fedrir ei ddywedyd am ei huawdledd ac am ei athrylith, ac am ei gynlluniau rhyfedd, gellir priodoli deffroad

Cymru, o gwsg oedd yn marweiddio ei nerth cenedlaethol, iddo ef yn fwy nag i neb arall . . .

Cwsg yn hyfryd, apostol Cymru:

Cwsg i lawr yn eglwys Talgarth,
  Lle nad oes na phoen na gwae;
Mi gei godi i'r lan i fywyd
  Sy'n dragwyddol yn parhau.

Cawsom fwynhau golygfeydd prydferth ac awel nawnol yn sïo dros gae o feillion peraroglus wrth gerdded y filltir sydd rhwng Talgarth a Threfeca.

A dacw Drefeca yn y golwg. Ymgyfyd fel llinell hir o gestyll a thai diwedd yr Oesoedd Canol, dros gaeau gweiriog. Oni bai am y capel hyll ar y chwith, buasai'n adeilad trawiadol a phrydferth iawn. Yma mewn tawelwch y treuliodd Hywel Harris y rhan fwyaf o'i oes. Wedi'r ymrafael, pan welodd ei fod yn colli gafael ar y dychweledigion a drowyd trwy ei weinidogaeth ef ei hun, gadawodd ei bregethu teithiol, ac ymneilltuodd i'w gartref, gan wneuthur Trefeca yn gartref i bawb a hoffai adael ei fro a dyfod i gydweithio ac i gydaddoli. Ffurfiai'r holl gwmni un teulu, yr oedd eu heiddo'n gyffredin, ac yr oedd cynllun eu bywyd yn debycach i freuddwyd rhyw athronydd nag i gynllun yn cael ei weithio allan gyda brwdfrydedd a llwyddiant. Tuag at gadw cymdeithas fel hyn gyda'i gilydd yr oedd eisiau mwy na chrefydd a huawdledd; yr oedd eisiau medr anghyffredin mewn trin dynion. Nid oes odid ddim yn hanes Cymru mor ddiddorol ag ymgais Hywel Harris i sylweddoli rhwng bryniau Cymru gynllun yr eglwys yn nyddiau'r apostolion. Yn wyneb pob anawsterau – diogi, ymrysonau, gwrthgiliad, priodi anghymarus ymysg aelodau'r teulu – yr oedd Trefeca dan Hywel Harris yn llwyddo ac yn blodeuo. Bu'n fwy llwyddiannus, efallai, na'r un a geisiodd sefydlu cymdeithas o'r fath. Yn grefyddwyr, yn filwyr, yn weithwyr, enillodd 'Teulu Trefeca' barch ac edmygedd rhai a wawdiai ar y cyntaf y syniad o godi mynachlog yn Nhrefeca. Ebe Williams Pantycelyn:

Pam y treuliaist dy holl ddyddiau
   I wneud rhyw fynachlog fawr,
Pan y tynnodd Harri frenin
   Fwy na mil o'r rhain i lawr?
Diau buasit hwy dy ddyddiau,
   A melysach fuasai 'nghân,
Pe treuliasit dy holl amser
   Yng nghwmpeini'r defaid mân.

Nid yn aml y cofir mai ychydig o'i oes a roddodd Hywel Harris i bregethu. Cwestiwn ei frodyr oedd:

Pam y llechaist mewn rhyw ogof,
    Castell a ddyfeisiodd dyn,
Ac anghofiaist y ddiadell
    Argyhoeddaist ti dy hun?

Ond ffurfio 'teulu', tebyg i'r eglwys yn adeg yr apostolion, oedd ei amcan ef; a gwastraffodd ar Drefeca y llafur yr oedd holl Gymru yn dyheu amdano:

Ai bugeilia cant o ddefaid,
    O rai oerion, hesbion, sych,
Ac adeilo iddynt balas
    A chorlannau trefnus, gwych, –
Etyb seinio pur Efengyl,
    Bloeddio'r Iachawdwriaeth rydd,
O Gaerlleon bell i Benfro,
    O Gaergybi i Gaer Dydd!

Dyma ni'n troi o'r ffordd, ar hyd rhodfa trwy gae gwair, at wyneb y coleg. O'i flaen y mae coed bytholwyrdd lawer; ac y mae golwg hynafol ar yr holl adeilad mawr, di-drefn, ar ei ffenestri crynion tyrog, gyda'r cloc a'r lantar yn sefyll uwchben y cwbl. Aethom heibio i'r wyneb, a thrwy ddrws yn yr ochr i ystafelloedd bychain, ond hynod ddiddos a chysurus. Wedi hwyrbryd blasus, digwyddais edrych ar nenfwd wyngalchog yr ystafell yr eisteddem ynddi, a gwelwn enw Jehofah mewn llythrennau Hebraeg uwch ein pen. Dywedodd yr athro wrthyf mai yn yr ystafell hon yr arhosai

Countess Huntingdon pan fyddai ar ymweliad â Hywel Harris, ac y mae'n sicr fod arddeliad mawr wedi bod ar lawer dyletswydd deuluaidd yn yr ystafell gysegredig.

Treuliais amryw ddyddiau dedwydd yn Nhrefeca. Crwydrwn wrth f'ewyllys drwy'r ystafelloedd lluosog, a fu unwaith yn gartref i 'deulu' rhyfedd Hywel Harris. Teimlwn fod Trefeca yn gynllun o goleg, – mewn lle iach, tawel. Hen weithdy'r 'teulu' ydyw un o'r ystafelloedd darlithio, a dangoswyd i mi dwll y gallai Hywel Harris weled trwyddo, yr adeg a fynnai, pa fodd yr oedd pethau'n mynd ymlaen yn y gweithdy. Y mae'r llyfrgell yn cynnwys un o'r casgliadau gorau o lyfrau Cymraeg a welais erioed; casglwyd hi, yr wyf yn meddwl, trwy lafurus gariad y Parch. Edward Matthews. Cynhwysa hefyd ddyddiaduron a llythyrau Hywel Harris, a llawer o lythyrau eraill a deifl oleuni diddorol iawn ar gynlluniau a gwaith Hywel Harris.

Heddgeidwad anghyfiaith

Y mae ardal Llangamarch yn un o'r ardaloedd mwyaf mynyddig yng Nghymru, er nad yw Mynydd Epynt a mynyddoedd Abergwesyn mor uchel â'u brodyr sy'n sefyll rhyngddynt a gwynt ac eira'r gogledd. Wrth fynd tua Llangamarch o Fuallt yr oeddem yn dringo i fyny o hyd, yng nghyfeiriad y mynyddoedd sy'n derfyn rhwng dyffrynnoedd Gwy a dyffrynnoedd Tywi. Teithiem i fyny dyffryn afon Dulais, un o ganghennau Gwy; o bobtu inni yr oedd rhes o fynyddoedd, a gwlad fryniog rhyngddynt, a thai ar y bryniau. Dyma'r trên yn aros ar lethr y dyffryn, mewn man cul arno. Ar y llaw dde y mae eglwys ar ochr y bryn, yr eglwys lle mae claddfa Cefn-brith, a'r eglwys lle huna Theophilus Jones, hanesydd Brycheiniog. I lawr oddi tanom, ar y chwith, y mae Dulais dryloyw, ond yn rhy bell i lawr i ni glywed ei dwndwr ar ei cherrig a'i graean. Cerddais i lawr o'r orsaf, a sefais ennyd ar y bont sy'n croesi'r afon brydferth. Tra oeddwn yn edrych i fyny'r afon ar y glennydd coediog, ac ar y mynyddoedd oedd draw dan eu gorchudd llwyd o law, clywn sŵn troed trwm, sŵn rheolaidd fel sŵn troed rheng o filwyr. Heddgeidwad oedd yno. 'Rhagluniaeth a'i hanfonodd yma,' meddwn wrthyf fy hun; 'daeth i'r dim, caf ei holi am y ffordd.'

'Wr braf,' meddwn wrtho, 'a welwch chwi'n

dda gyfarwyddo dyn dieithr i Gefn-brith?'

'I don't know what you say, you should speak English.'

'Mae hynny'n orthrwm mawr,' meddwn innau, 'na chawn siarad Cymraeg â swyddogion cyflog mewn lle mor Gymreig â Llangamarch.' Ffordd bynnag, er siarad Saesneg ag ef, a Saesneg llawer gwell na'i Saesneg ef hefyd, ni chefais ddim gwybodaeth ganddo. Gwelais yn eglur mai nid Rhagluniaeth a wnaeth hwn yn heddgeidwad, ond Prif Gwnstabl Seisnig. A rhyfeddwn yn fawr fy mod wedi camgymryd gwaith y naill am waith y llall. Ar ororau'r Deheudir y mae llawer o syniadau hen ddyddiau'r Lords Marchers eto'n aros: tybir gan yr awdurdodau mai llywodraethu'r Cymry yw eu gwaith, ac nid eu gwasanaethu. Ac y mae gormod o'u hen waseidd-dra yn y Cymry hyn eto, mwy o ofn plismon anwybodus o Sais nag o ofn Cymro gonest a chydwybodol. Ond tybed, er hyn, mai Sais uniaith a ddylai ofalu am heddwch Llangamarch?

Cartre'r Telynor

Yr oedd y dydd yn mynd, a'n ffordd ato'n hir.
Aethom i lawr gorau y gallom hyd y caeau serth i'r
Morfa Bychan, lle agored ystormus, gydag ychydig
o ddefaid yn blewynna hyd dwmpathau grugog a
dyfai yma ac acw yn y tywod. Ond dipyn oddi
wrth y lan, yr oedd caeau gwastad fel bwrdd, dan
wenith tonnog. Wedi taith flin gadawsom y môr, a
daethom at lyn ar ochr y ffordd, a lili'r dŵr ar ei
ymylon. Oddi wrth y llyn arweiniai ffordd
dywodlyd i fyny at dŷ gwyn ar y fron. Dringasom
i fyny, heibio i ffynnon o ddyfroedd clir. Daethom
at gefn y tŷ, ac yr oedd geneth fach yn cychwyn i
hel y gwartheg.

'Ai hwn ydi'r Garreg-wen?'

'Ie, mae meistres yn y tŷ.'

Gyda'r gair daeth gwraig ieuanc i'r drws, a
dywedodd fod croeso inni weld y tŷ. Gwelodd fod
yr ieuengaf ohonom wedi blino. Daethom yn
ffrindiau mawr, ac ni chawsom fwy o groeso yn
unlle erioed. Yr oedd y gwartheg yn y fuches, ond
cawsom de dan gamp. Yna cawsom weled holl
ystafelloedd cartref y telynor. Hen amaethdy clyd
ydyw'r Garreg-wen. Tŷ hir ydyw, a'i dalcen i'r
graig, yn un uchder llofft. Y mae adeiladau o'i
gwmpas bron ymhob cyfeiriad, a gerddi fel petaent
ar silffoedd craig, a choed ffrwythau. Oddi
amgylch tyf gwynwydd a phys llygod a phob

blodeuyn gwyllt. A thraw wrth gefn y tŷ mae craig – efallai mai hon ydyw'r Garreg-wen – yn cysgodi'r tŷ rhag gwynt yr ystormydd. Yr oeddwn wedi clywed mai wrth garreg ar ben y mynydd y cyfansoddodd Dafydd 'Godiad yr Ehedydd.' Dywedwyd wrth enethig am ddyfod gyda mi i ben y caeau i ddangos y garreg. Yr oedd yr olygfa yn ehangu o hyd wrth inni ddringo o gae i gae, a dyma ddiwedd ysgwrs a fu rhwng yr enethig a minnau:

'Fedri di ganu?'

'Medra.'

'Fedri di ganu "Dafydd y Garreg-wen" i mi? Neu "Godiad yr Ehedydd"?'

Edrychodd y plentyn yn syn arnaf.

'Wyt ti ddim yn dysgu canu yn yr ysgol?'

'Ydw.'

'Wyt ti'n dysgu canu Cymraeg?'

'O, nac ydw!'

'A ddysgodd neb erioed iti ganu alawon Dafydd y Garreg-wen, a thithau'n byw yn yr un wlad â fo?'

'Naddo.'

'Be fedri di ganu?'

' "Little Ship" a "Gentle spring".'

Yr un dystiolaeth brudd a gaf ymhob man yng Nghymru. Mae cartref enwog yn ymyl y plentyn – lle cyfieithwyd Gair Duw i'w iaith, lle rhoddwyd ar gân ryw wirionedd a wareiddiodd ei gyndadau, lle daliwyd rhyw alaw nefolaidd i buro a diddanu meibion dynion byth mwy – ond, druan bach, ni ŵyr ef ddim amdanynt. Feallai fod ei athro neu ei athrawes heb fedru ei iaith, ac felly'n hollol anghymwys i'w ddysgu. Feallai, mewn ambell ran o'r wlad, fod ei athro yn Gymro, ond rhy anwybodus i ddysgu dim iddo am ei wlad ei hun, ac yn rhy ddiathrylith i weled gogoniant llenyddiaeth Cymru. Dysgir alawon yn yr ysgolion, ac eto ceir ardaloedd cyfain lle na all y plant ganu 'Llwyn-onn'. Rhaid bod rhyw swyn anghyffredin yn alawon Cymru, yn ogystal ag yn ei hiaith, onid e buasai galluoedd Philistaidd y byd hwn wedi eu llethu ers llawer dydd. Y Llywodraeth, yn credu bod yr iaith Gymraeg yn drafferth i'w swyddogion tâl; arolygwyr, wedi rhoddi eu cas ar iaith na allant ond ei hanner siarad; athrawon, wedi dad-ddysgu Cymraeg da wrth ddysgu Saesneg sâl, – neu heb fedru erioed ond y Saesneg sâl yn unig; goruchwylwyr anwybodus, yn credu bod nef a daear yn agored i'w plant os medrant ddeall Saesneg bratiog porthmyn Caer, – druan o eneidiau plant Cymru rhyngddynt oll.

Tyddewi

Arhosodd y cerbyd ynghanol Tyddewi, a disgynnais i westy cysurus a phrydferth. Wedi cael tamaid – yr oedd erbyn hyn rhwng naw a deg o'r gloch y bore – cerddais ymlaen i gyfeiriad yr eglwys gadeiriol. Ni welir hi nes dyfod i'w hymyl, oherwydd mewn pantle y mae. Yna ymegyr ei hardderchowgrwydd o flaen y llygaid syn. Er bod ôl atgyweirio arni, meddyliwn am anialwch mawreddog a phrydferth. Yr oedd rhyw geinder a heddwch rhyfedd wedi gorffwys ar yr hen fangre hanesiol annwyl. Draw heibio i'r eglwys y mae plas yr esgob yn adfeilion. Ond na feddylier ei fod yn hagr, er ei fod yn adfeiliedig. Y mae llaw amser wedi rhoddi prydferthwch digymar arno. Y ffenestr gron, y muriau hirion, y llwydni hynafol, y wisg iorwg, – ymha le y ceir adfeilion mor gain mewn glyn mor brydferth?

Rhed aber dryloyw o adfeilion y plas, neu o ryw ffynnon rinweddol sydd ynddynt, ac ymdroella dan furmur, fel genethig yn mynd adref o'r capel, drwy'r dyffryn bach tlws tua'r môr. Nid rhosynnau na blodau gardd sy'n tyfu yno, ond blodau gwylltion Cymru, – llysiau'r mêl a chwilys yr eithin, blodau'r grug a hesg, eithin a rhedyn Mair. Ac y mae'r dyffryn yn ddarlun o brydferthwch a sirioldeb iechyd. A meddyliwn y gellid dywedyd am y blodau, eiriau Iolo Goch am offeiriaid Dewi:

Engylion nef yng nglan nant.

Yn y pantle hwn, efallai, y cododd Dewi Sant ei babell pan ddaeth yn genhadwr i bregethu'r Efengyl i baganiaid Dyfed. Ar lan yr aber dlos, dryloyw sy'n murmur mor ddedwydd ag erioed drwy'r adfeilion, y bu Dewi'n cydweddïo â'i ddisgyblion am i Grist gael holl Gymru'n eiddo iddo. Ac ychydig a feddyliai'r sant yr adeg honno, y mae'n bur sicr, y dôi brenhinoedd ar bererindod at ei fedd, ac yr edrychid arno fel archesgob holl Gymru. Pum neu chwe chan mlynedd ar ôl ei farw, pan oedd ffurf yr eglwys Gristnogol yng Nghymru wedi newid yn ddirfawr, ceisiodd Gerallt Gymro brofi fod Eglwys Cymru wedi bod yn un, ac yn annibynnol ar Eglwys Loegr, dan archesgob Tyddewi, olynydd Dewi Sant; a hir y brwydrodd i ailennill i Eglwys Cymru ei hannibyniaeth lawn. Wedi darostwng esgobaethau Cymru dan lywodraeth archesgob Seisnig, ac wedi darostwng Cymru i frenin y Saeson, aeth Tyddewi yn anwylach i'r Cymry o hyd. Pan gododd Glyndŵr ei faner, yr oedd yn meddwl am wneuthur Tyddewi yn archesgobaeth Cymru, a phrydferth iawn yw darluniad ei fardd, Iolo Goch, o'r fangre hefyd. Lecyn prydferth a thawel, y mae gwŷr gorau Cymru wedi bod yn hiraethu am yr iechyd a'r tawelwch a geir ynot. Ynot ti y gorwedd Dewi Sant a Gerallt Gymro a William Morris. A dyma finnau, bererin, wedi cael edrych ar dy degwch, ar

dy draeth euraid, ar dy ffynnon loyw, ac ar dy
flodau gwylltion.

Ysgolheigion od

Un rhyfedd iawn ydyw [Edward] Anwyl.
Gwelsoch ef, – a'i goler. Rhaid iddo newid llawer
ar ei ffyrdd; neu [ni] fydd uwch bawd sawdl byth.
Y mae yma yrwan, yn treio am Gymrawdiaeth. Y
mae'n ddrwg gennyf drosto, ond nid oes ganddo
obaith am un, y mae arnaf ofn. Gwelais ef ddoe, yr
wyf yn credu mai'r goler welsoch chwi oedd
ganddo, ac nid oedd wedi ei golchi er hynny. Yr
oeddwn gyda theulu parchus yma ddoe, a buont
yn siarad peth am dano. Dywedodd Gwenogfryn
Evans iddo fyn'd ag ef i'w introducio i Dr
Martineau, ac yna ciliodd yn ôl rhag cywilydd, gan
yr arogl oedd yn codi o sane Anwyl. Nid oes ond
un par o sane ar fy elw i y buaswn yn cael fy
nhemtio i'w gwisgo'n rhy hir. Tybed a oes gan
Anwyl chwaer; os oes, dylasai fod wedi ei
rybuddio am byth beidio golchi ei goler na newid
ei sane. Buase'n well gen i eu golchi fy hun, pe
buaswn yn rhy dlawd i dalu. Ond nid hyn yn unig,
– nis gwyr Anwyl byth pryd i fyn'd. Yr wyf fi wedi
arfer, er's tro, roi ar ddeall iddo mewn cymaint a
hynny o eiriau, fod yn rhaid iddo fynd; ond i bobl
ddieithr y mae'n farn ac yn ddychryn. Er hynny, y
mae'n greadur eitha ffeind.

Un gwaeth lawer ydyw Egerton Philimore,
golygydd y Cymrodor. Y mae'n ysgolhaig mawr,
yn medru pob gair a chan fudr; yn ymdorheulo

mewn iaith fudr ffiaidd, er ei fod wedi priodi. Unwaith y bu hefo fi. Ar Wenogfryn Evans y bydd o'n disgyn. Y tro diweddaf treiodd Gwenogfryn gael llonydd ganddo. Yr oedd wedi gorfod ei wadd i lunch, ac er mwyn ei yrru i ffwrdd dywedodd, – 'I cannot possibly do without my walk, will you join me?' Gwnaeth Philimore hynny, ond, yn lle mynd, ebe Gwenogfryn, – 'ar derfin y wâk, fe ddows y cithrel yn ei ol'. Eisteddodd yn study Gwenogfryn; cyn hir canodd y gloch de, ond ni wnaeth Gwenogfryn sylw o honi; aeth oriau meithion, yr oedd Philimore yno o hyd, ac yn dangos dim awydd symud, canodd y gloch swper, ni chymerodd Gwenogfryn arno ei chlywed; ac o'r diwedd, tuag unarddeg, wedi llwgu'n lan, cododd i fyn'd . . . Un tro daeth Philimore at Wenogfryn i ofyn am fenthyg hanner sofren i dalu ei dren i Lunden. Yn falch o gael llonydd ganddo, rhoddodd Gwenogfryn yr hanner sofren yn llawen; ond yn lle myn'd ar ei union at y tren, aeth Philimore i'r Mitre; a chymerodd lunch yno. Costiodd y lunch iddo saith a chwech; ac erbyn hynny nid oedd ganddo ddigon o bres i godi ticed; a beth welai Gwenogfryn erbyn mynd adre ond Philimore yn eistedd yn gyfforddus yn ei gadair.

Llythyrau Syr O.M. Edwards ac Elin Edwards, 130-131

Y Cymry a'u hanes

Fel eu gwlad a glannau eu moroedd, felly hefyd y mae'r Cymry. Gwyllt ydyw'r wlad, amrywiol a rhyfedd; troellog ydyw ei ffyrdd, ac ni wêl neb a'u tramwyo fawr ymlaen. Y mae Lloegr yn wastad, ei ffyrdd yn union, gwêl y teithiwr o ben y daith faint sydd ganddo i'w gerdded, a faint fydd ei ludded. Felly am drigolion y wlad, – gŵr rheolaidd a phwyllog ydyw'r Sais, gŵr y gellir dibynnu arno, gŵr a wêl lwybr dyletswydd ei fywyd yn glir o'i flaen, gŵr heb bryder nac ansicrwydd meddwl nac ofn nac anwadalwch. Ond am y Cymro, y mae ei feddwl yn rhamantus ac athrylithgar, a gobaith yn gryfach na ffydd; ni wêl ymhell ymlaen, y mae ei holl fryd ar y llecyn y digwydd fod ynddo; y mae ei lwybr heibio i gornel mynydd, ni wêl beth sydd o'i flaen, nid yw dyfalbarhad dyn y llwybrau sythion yn perthyn iddo, ac nid oes sicrwydd beth a wna pan fo'r mynydd rhyngoch ag ef. Plentyn y mynyddoedd ydyw, – yn addo i Dduw ar lawer awr o frwdfrydedd fwy nag y medrai bywyd o ddyfalbarhad ei gyflawni. Cryfder dychymyg a dyhead am fywyd gwell, a phruddglwyf wrth weled mor anodd ydyw sylweddoli pan fo'r brwdfrydedd wedi oeri, – dyna brif nodweddion y Cymro. Rhoddwyd swm ei gymeriad, hawster dychmygu ac anhawster cyflawni, mewn geiriau sydd erbyn hyn yn ddihareb, –

'Hawdd yw dwedyd, "Dacw'r Wyddfa";
Nid ei drosti ond yn ara'.'

Y mae hanes y Cymry yn hanes hir a rhyfedd a
chyffrous, ond y mae trefn a phrydferthwch arno.
Gellir cael golwg hyfryd a chlir ar daith ei anialwch
i gyd.

Plu'r gweunydd

O orsaf Ystrad Fflur i orsaf Tregaron rhed y ffordd haearn dros gyrrau neu hyd finion cors am dros bum milltir o ffordd. Ar y chwith, wrth deithio tua'r de, ceir y mynyddoedd eang – Berwyn canolbarth Cymru – sy'n gwahanu dyffryn Teifi oddi wrth gymoedd uchaf Claerwen a Thywi, a'u hafnau mynyddig mwynion. Ar y dde gwelir llethrau'r Mynydd Bach, a'i ffermdai clyd ar y godre a'r llechweddau, a'i hanes yn ddiddorol o'r amser y cerddai llengoedd Rhufain ei Sarn Helen hyd ddyddiau yr athrawon a'r beirdd a'r efengylwyr a roddodd fri ar ei bentrefydd, – Lledrod, Bronnant, Blaenpennal, Pen-uwch, a Llangeitho.

Ond rhwng y mynyddoedd hyn gorwedd y gors farw, oer. Ar ei gwastadedd hi ni thyf blodau gweirglodd a gwndwn Cymru. Yn ei mynwes leidiog, ddu cyll aberoedd Cymru eu dwndwr mwyn a'u purdeb grisialaidd; yn lle ymuno ag afon fordwyol neu gyrraedd môr heulog, collir golwg arnynt yn y gors hagr, – Marchnant a Glasffrwd a Fflur a Chamddwr a'u chwiorydd llawen. Nid oes ffordd yn ei thramwy; creffwch o'r trên, ac ni welwch lwybr ar ei thraws o Ystradmeurig i Dregaron. Nid yw'n llyn ac nid yw'n ddôl; ond y mae'n llenwi lle a fuasai'n llyn tlws neu'n ddôl brydferth, ac y mae wedi cyfuno ynddi ei hun bopeth sy'n anhardd mewn dŵr a thir, a dim sydd hardd. Y mae hen ffyrdd dynion fel pe baent yn myned heibio iddi gan ei hosgoi.

I'm meddwl i, cyfunai bopeth a wna aeaf a mynydd-dir yn anghysurus, – tir gwlyb didramwy, pyllau oerion lleidiog, ambell goeden ddi-ffurf yn dihoeni, diffyg blodau a diffyg bywyd. Âi cryndod drwy fy nghnawd wrth ei gweled, fel pe bawn yn edrych ar Lyn Cysgod Angau. Ond ni fedrwn beidio edrych arni wrth fynd heibio. Er fy ngwaethaf ni allwn dynnu fy llygaid oddi arni, yr oeddwn fel pe bawn tan ei swyn oer. Wedi cyrraedd Tregaron, teimlwn fel pe bawn wedi cael fy nhraed ar dir sych, yn oer a gwlyb, wedi bod yn ymrwyfo am oriau drwy laid. Ac ym mreuddwydion y nos fe'm cawn fy hun yn graddol suddo i'w mwd lleidiog du.

Ceisiais lawer gwaith ymryddhau oddi wrth yr atgasedd ati. Sefydlwn fy ngolwg ar ei theisi mawr. Ceisiwn ddychmygu am aelwydydd y ffermdai oddi amgylch yn y gaeaf, a'u tân mawr glân, siriol, a'u dedwyddwch yn dod o garedigrwydd y gors. Ond ofer oedd fy ymdrech. Llithrai fy meddwl yn ôl er fy ngwaethaf at laid sugndynnol ac ymlusgiaid ffiaidd ac anobaith bywyd.

Pan ddangosodd haf eleni ogoniant newydd i mi mewn golygfeydd a ystyriwn yn berffaith o'r blaen, a phan ddangosodd berffeithrwydd lle y tybiwn i fod amherffeithderau gynt, trodd fy meddwl at Gors Goch Glanteifi. Tybed ai'r un oedd hi o hyd wedi wythnosau o sychder haf? A orweddai'n drom, wleb, farw, gan wrthod adlewyrchu dim o olud lliwiau a bywyd yr haul? Penderfynais fynd heibio iddi, rhag bod iddi hithau ei blodau. Unwaith newidiodd blodeuyn wedd gwlad i mi. Hwnnw oedd blodyn melyn dant y llew; gwnaeth amgylchoedd Glasgow, lle lleddir blodau eraill gan fwg y gweithydd, yn hyfryd â'i wên siriol.

Fel arfer, deuthum hyd ddyffryn gwyrdd hyfryd Ystwyth. Yr oedd y gwres yn llethol, oherwydd mis Gorffennaf oedd hi. Yr oedd y gwair ysgafn yn sychu'n grin bron, newydd ddisgyn oddi wrth y bladur. Yr oedd pawb yn dianc i'r cysgod rhag y gwres. Oddi ar ael y bryn, lle dringai'r trên dan goed hyfryd eu cysgod, gwelem danbeidrwydd yr haul ar y dolydd oddi tanom ac ar y bryniau a'r dyffrynnoedd draw. Toc daethom i ben y tir, lle y bu Ieuan Brydydd Hir yn hiraethu amdano, –

'O, Gymru lân ei gwaneg,
Hyfryd yw oll, hoywfro deg!
Hyfryd, gwyn ei fyd a'i gwêl,
Ac iachus yw, ac uchel;
Afonydd yr haf yno,
Yn burlan ar raean ro,

A redant mewn ffloyw rydau,
Mal pelydr mewn gwydr yn gwau.'

Dacw ysgol Ystradmeurig ar ael y bryn. Mor hoffus
oedd bywyd yr athro Edward Richard, ac mor felys
yw ei fugeilgerddi ar y mesur tri thrawiad! Bob tro
y dof i'r llecyn hyfryd hwn, daw ei linellau
melodaidd i'm meddwl, a hefyd y cof iddo
unwaith adael ei ysgol am flwyddyn oherwydd
bod ei gydwybod yn dweud y dylai ddysgu
ychwaneg. Ac yn awr wele'r gors o'n blaen, ac yr
ydym ninnau ar ei minion.

A rhyfedd iawn, wele hi, nid yn ddu a thrist fel
arfer, ond yn wen fel pe bai dan gaenen o eira. Nid
eira mohono, gwyddwn hynny'n dda, ar haf fel
hwn. Yr oedd y gwynder yn fwy cain na gwynder
eira, yr oedd yn wyn cynnes, disglair hefyd, gwyn
fel gwyn edyn angylion oedd. Nid oedd y gors yn
wen i gyd, ond yr oedd y llanerchau gwynion oedd
hyd-ddi fel pe baent yn taenu eu purdeb gwyn a
chynnes hyd y banciau a'r mawnogydd i gyd. Yr
oedd y ffosydd wedi eu gweddnewid dan wên
heulog yr haf, nid oedd eu duwch yn edrych yn
hagr na'u dŵr yn oer. Yr oedd golwg gartrefol
groesawgar ar y teisi mawn; dygent i gof y mwg
glas a fydd yn esgyn o simneiau bythod Cymru ar
nawn haf. Yr oedd y gors wedi ei gweddnewid.

Plu'r gweunydd, hen gyfeillion mebyd i mi,
oedd wedi gwneud y gwaith. Yr oeddynt yno wrth
eu miloedd, yn llanerchi o wynder ysgafn tonnog,

byw, heulog. Hwy a roddodd i'r hen gors ddu, hagr ei gogoniant gwyn. Yr oedd eu plu tuswog yn llawnion, ac eto'n ysgeifn. Gwyddwn mor esmwyth yw eu cyffyrddiad; un o bleserau mebyd oedd eu tynnu ar draws ein bochau. Ond ni welais hwy erioed yn edrych mor ieuanc, a'u gwyn mor gannaid, a'u hysgogiadau mor fywiog. Yr oedd yr awel ysgafnaf yn gwneud iddynt wyro, fel pe baent filoedd o angylion yn addoli. Yna'n sydyn taflent eu pennau'n ôl ac ysgydwent fel pe baent dyrfaoedd o rianedd mewn gwisgoedd gwynion yn dawnsio. A thoc ymdawelent, a gorffwysent yn eu gogoniant, dan adlewyrchu golau'r haul, yn esmwythach ac yn burach golau na phan ddisgynnai arnynt. Tybiwn fod y bryniau a'r mynyddoedd o amgylch yn codi y tu ôl i'w gilydd i edmygu plant angylaidd y gors, a bod llwybrau dynion yn cadw oddi wrthynt rhag torri ar heddwch mor dyner, a difwyno tlysni mor bur. Yr oedd cyfuniad o wynder, disgleirdeb, a chynhesrwydd yn y fan olaf yng Nghymru y buaswn yn mynd i chwilio amdano . . .

Yr wyf yn cofio imi, pan oeddwn yn fachgen, orfod mynd heibio i fynwent yn y wlad tua hanner-nos ar ddiwedd taith hir. Yr oedd bachgen hŷn na mi gyda mi, a gofynnais iddo a oedd arno ofn. 'Nac oes,' oedd yr ateb syml, 'y mae mam yn gorwedd yna.' Pan af finnau heibio i Gors Goch Glanteifi eto, ni theimlaf fy ngwaed yn oeri. Gwn fod yno'n huno filoedd ar filoedd o blu'r gweunydd, ac y deffroant pan ddaw pob haf, ac y bydd y gors yn llety mwyn a chynnes i angylion.

Ym Morgannwg

Ar hyd y ffordd tynnwn ysgwrs â rhywun beunydd, oherwydd y mae Cymraeg Bro Morgannwg wrth fy modd i. Pan oeddwn yn croesi afon Ewenni, arhosodd hogyn oedd ar ei ferlyn aflonydd, i ddweud wrthyf mewn Cymraeg gloyw beth oedd enwau'r lleoedd a welwn. 'Ewenni' y galwai'r afon. Afon araf a digynnwrf yw; caiff llysiau dŵr gwyrddion ynddi dawelwch wrth eu bodd. Mor hyfryd yw clywed enw pur yr afon wedi darllen am 'ewyn wy' y ffug-ddysgedigion. Nid oes yma nac ewyn nac wy, mwy nag oes o frenin Basan ac wy yn afon Ogwr.

A dyma fi yn y pentref bach gwasgarog. Troais at dŷ prydferth y safai dwy enethig fochgoch wrth ei ddrws. Dychrynodd fy Nghymraeg hwy, a daeth gofid i'm calon wrth feddwl y gall unrhyw Gymraeg seinio'n aflafar neu'n estronol yng Nghymru. Galwasant 'mam,' a chefais rhwng tair wybodaeth fanwl mewn Cymraeg cain am y ffordd at gapel Ewenni.

Troais ar y chwith, a chodai'r ffordd i fyny'n weddol serth. Fel yr esgynnwn ymddadlennai Bro Morgannwg yn raddol o'm blaen. Yr oedd distawrwydd dwys awr hun, a lledneisrwydd pur yr hwyr, yn gorffwys ar lesni eang y wlad o'm cwmpas. Teimlwn, p'un bynnag ai dan wên haul ynte'n pruddhau o'i golli, mai gwlad ardderchog yw.

O'r diwedd deuthum at goed, ac yng nghysgod y coed safai capel. Dyma'r capel y cyrchai amaethwyr y wlad iddo i wrando ar feddyliau beiddgar y gŵr oedd yn un ohonynt, ac yn eu deall i'r dim. Ond mor unig yw, ac mor brudd! Mae llwyni'r nos yn cymryd gwawr o ddu yn awr, ond rhaid mai trymaidd yw'r capel ganol dydd. Tywyll a hagr yw gwydr ei ffenestri, a'u hamcan i guddio prydferthwch y dydd rhag y rhai sydd â'u meddwl ar wlad na raid wrth olau haul na sêr ynddi. Yn uwch ar fin y ffordd na'r capel y mae ystabl, a'r llecyn gwyrdd rhyngddi a'r capel wedi ei orchuddio gan dyfiant bras anfaethlon, a'i drws yn agored i bob crwydriaid budr, ysgymun i droi iddi. Nid rhoi rhaff i'm dychymyg yr wyf; clywais fod ystabl y capel yn noddi 'siow o dramps' bryd bynnag y goddiweddo'r nos hwy yn y gymdogaeth hon. Ni raid gofyn i ba enwad y perthyn y capel. Nid oes ond un enwad yng Nghymru, er ei urddas a'i drefn, sydd mor ddiofal am ei eiddo â hyn. Ni theimlais ddim erioed mor fud â'r capel hwn, wrth gofio am yr huodledd y bu'n gartref iddo. Ni welais unlle mor brudd ychwaith. Nid pruddle mynwent oedd, – nid oes yno fynwent. Yr oedd y coed trymaidd, y gwydr digroeso, a'r chwyn tal yn gwneud yr addoldy yn ddarlun o anghyfanedd-dra. Ac eto, yn ei unigedd a'i brudd-der, yr oedd y capel yn syml ac yn urddasol. Hwyrach, o ran hynny, pe buaswn yno yng ngwres y dydd, y cawswn y prudd-der wedi troi'n gysgod adfywiol ac y cawswn gipolwg ar ehangder Bro Morgannwg o le cyn hyfryted ag Elim.

Gwych gan drigolion Ewenni sôn am Edward Matthews. Yr oedd gwraig radlon ganol-oed, y bu ei rhieni yn eistedd wrth ei draed, 'yn i gofio fe'n nêt,' ac yr oedd yn rhoi pris mawr ar ryw ddodrefnyn a fu unwaith yn eiddo iddo. Dywedai un arall nad yw'r amaethwyr yn tynnu i'r capel ar lethr y bryn fel y byddent, 'nit oes pŵer o aelote yno 'nawr.' 'Ne, ne,' ebe un wedyn, 'nid yw crefydd yn awr y peth fydde hi yn y wled.' Ond cytunent ar un peth, fod y pregethwr eto'n fyw ar y Fro ac ym meddwl pawb a wrandawsai arno.

Troais yn ôl, gan gofio yr hyn a wrandewais innau, yn blentyn ac yn llanc. Ar gwr y pentref fe'm cefais fy hun heb yn wybod yng nghanol twr o lanciau. Cyferchais hwy, yn ôl fy arfer, yn Gymraeg. Medrai rhai Gymraeg da, a rhai Gymraeg carbwl, ni feddai rhai eraill ond olion ar eu Saesneg *double negative*. Ond cymerent ddiddordeb yn yr iaith Gymraeg. Esbonient imi'r enwau Saesneg oedd ar fynegbost gerllaw, mai y Wig oedd Wick, ac mai Tregolwyn oedd Colwinston. Dywedent fod y plant i gyd yn dysgu Cymraeg yn yr ysgolion yn awr; ond daeth hynny '*too late for us*,' ebe rhai ohonynt yn eithaf prudd.

O amgylch y Bala

Lle dymunol iawn i aros yn yr haf ynddo yw'r Bala. Mae'n amhosibl cael lle mwy hyfryd, o ran prydferthwch mynydd a ffrydlif a llyn, lle cerir tawelwch. Mae digon o le i letya yno hefyd, yn enwedig pan fydd y myfyrwyr i ffwrdd.

Prif ddiffyg y dref yw diffyg llyfrgell. Ychydig o lyfrau sydd yn ffenestri'r siopau a'r llenyddiaeth ddirywiedig isel-chwaeth arferol sydd yng nghwpwrdd y ffordd haearn. Felly rhaid i'r ymwelydd ddod â'i lyfrau gydag ef.

Wrth gerdded hyd y stryd, deuai hen gydymaith imi gynt i'm cof. Bu J.H. Roberts farw yn ddyn ieuanc. Yr oedd ysfa lenyddol ynddo, yr oedd wedi cael addysg dda, ac wedi gweled llawer o'r byd. Casglodd draddodiadau'r Bala, ar gyfer rhyw gyfarfod llenyddol, a mân ystorïau; a gwyn fyd na wnâi rhywun yr un peth mewn lleoedd eraill, cyn i'r oes wamal, ysmoclyd, Seisnigaidd sy'n codi, eu hanghofio'n lân. Dyma rai ohonynt.

Dywedir i ddieithr ddyn groesi Llyn Tegid ar adeg rhew ag eira mawr, heb wybod mai'r llyn oedd; ac iddo ofyn, wedi cyrraedd y dref, i bwy y perthynai'r ddôl fawr wastad, ddi-glawdd y daethai ar hyd-ddi; a phan ei hysbyswyd iddo gerdded ar hyd Llyn Tegid, iddo ddychryn a marw yn y fan. Mae hen bennill yn cyfeirio at yr amgylchiad, –

'Tebyg ydwyf, fel y tybid,
I'r dyn gerddodd dros Lyn Tegid;
O edifeirwch am a wnaethai
'E dorrai'i galon ar dir golau.'

Ar amser rhew caled tua phedwar ugain
mlynedd yn ôl, rhoddodd Siôn Wmffra gwarel o
rew yn ffenestr y Bwl Mawr yn lle gwydr; ac o
hynny allan galwyd ef 'Siôn Gwydr Rhew.'

Dro arall aeth Siôn i siop Moses y Gof, ar
dywydd rhew caled, gan gwyno na allai gael dim
gwaith i gael pres hyd yn oed i brynu myglys.
'Paham na thorri di ffenestr rhywun? Felly mae
gwneud,' ebe Moses. 'Diolch iti, ond ffenestr pwy
dorraf?' ebe'r gwydrwr. 'O, ni waeth yn y byd
ffenestr pwy, rhaid ei thrwsio,' ebe Moses. Aeth y
gwydrwr allan, ac at ffenestr tŷ'r gof, a chan ei
chwilfriwio â'i ffon, rhedodd yn ôl i ddweud yr
hanes wrtho. Gofynnodd y gof iddo ffenestr pwy a
dorasai. 'Wel, dy ffenestr di,' meddai Siôn.
Edrychai'r gof yn lled syn am ychydig, yna
dywedodd, 'Wel, dos a thrwsia hi, yr oedd mwy o
fai arna i na thi.'

Oesau'n ôl, fel yr oedd bugail Hafodygarreg yn
bugeilio yn amgylchoedd y llyn sy'n diodi'r Bala,
yn y brwyn daeth ar draws llo ieuanc, llyfndew a
chryf. Methai â dyfalu o ba le y gallasai'r anifail
ddod, gan nad oedd dim gwartheg yn cael dod yn
agos i'r lle yr adeg honno o'r flwyddyn. Fodd
bynnag, aeth ag ef adref, a magwyd ef, a daeth y llo

bob yn dipyn yn darw, ac yn nodedig am ei lunieidd-dra; ac mewn amser, ei hiliogaeth ef oedd yr holl fuches, ac ni fu'r fath anifeiliaid yn Hafodygarreg erioed o'r blaen. Yr oeddynt yn syndod ac edmygedd yr holl wlad. Ond un prynhawnwaith hafaidd ym Mehefin, gwelai'r bugail dorpwth o hen ddyn bychan yn chwarae pib, ac yn galw'r gwartheg wrth eu henwau, –

'Mulican, Molican, Malen, Mair,
Dowch adre'r awron ar fy ngair';

a gwelai'r holl fuches yn rhedeg ato, ac yn myned i'r llyn. Ac ni welwyd na siw na miw ohonynt mwyach, a barn pawb oedd mai gwartheg y Tylwyth Teg oeddynt . . .

Saif maen anferth ar gopa cribell cangen orllewinol Moel Emol. Mae ei faintioli aruthrol a'i safle unig a rhydd, ar ben uchaf mynydd mor ddigerrig, yn rhoi bod i fil o debygoliadau dychmygol pa fodd y daeth yno. Mae'r graig otano yn greiglas gyffredin, tra y mae ef o'r gwenithfaen caletaf. Yr hen draddodiad ynglŷn ag ef yw fod y cawr un diwrnod yn hela'r ffordd hon, a phan oedd ar ddal hydd tew, iddo deimlo rhywbeth yn ei esgid a'i hataliai rhag rhedeg; ac iddo ei dynnu a'i daflu yma. Dyna chwedl yr ardal pa fodd y daeth y maen i'w safle bresennol. Ychydig oddi wrtho, ar gopa uchaf Moel Emol, dangosir llannerch gron ddi-dyfiant a adwaenir fel Bedd y Cawr.

Galileo

A dacw Alileo ar ei liniau. o flaen y Chwilys, yn gorfod dweud, er mwyn achub ei fywyd, nad oedd y ddaear yn troi. Wrth godi oddi ar ei liniau dywedodd y geiriau adnabyddus – 'E pur si muove', 'Ac eto mae hi'n symud'.

Mewn unigedd, heb neb ond ychydig berthnasau a chyfeillion gydag ef y treuliodd y rhan ddiwethaf o'i oes. Ac er gwaetha'r eglwyswyr, yr oedd yn dal i feddwl ac i chwilio o hyd. Darganfyddodd y ffordd i gyfrif lledred ar y môr, ac anfonodd y wybodaeth werthfawr i Rotius, i'w chyflwyno i forwyr Holland. Collodd ei olwg, collodd ei hoff ferch, a bu farw mewn trallod. Nid oedd ei fywyd pur a'i dymer gariadus yn ddigon i'w wneud yn ddielyn: yr oedd ar ddynion ofn iddo ddarganfod rhywbeth a ddinistriai'r gred yr oeddynt hwy'n byw arni.

Bûm ar bererindod o Florence yn edrych y bwthyn y bu'n treulio ei henaint ynddo. Gwyddwn fod Milton wedi cerdded yr un llwybr i weld y seryddwr dall. Yng nghanol pentref bychan y mae'r bwthyn, a dwy ffenestr yn ei gefn yn agor i'r ffordd. Ar ei fur gellir darllen, mor agos ag y medraf gofio, rhywbeth fel hyn: 'Gyda Duw yn y tŷ yr wyt yn myned iddo, deithiwr, er lleied ydyw, y bu fyw Galileo enwog, prif wyliedydd sêr y nefoedd, adferydd athroniaeth naturiol, neu yn hytrach ei thad, wedi ei luddias trwy ddrwg ddichellion gan athronwyr gau, o'r flwyddyn MDCXXXI hyd y flwyddyn MDCXLII.'

Does neb yn cofio am ei elynion, ond y mae enw Galileo yng nghof ei gyd-wladwyr hyd heddiw. Mewn pentref yn Liguria gwelais ddyn meddw, yr unig ddyn meddw a welais yn yr Eidal, yn cael peth trafferth i sefyll ar ei draed. Yr oedd cylch o blant o'i amgylch, yn ei wawdio. Gwenai yntau arnynt, a dywedai, "Mhlant bach annwyl i, roedd Galileo yn llygad ei le, mae hi'n troi, ydi'n wir'.